中小企業のための知財戦略2.0

株式会社 IP Maacurie 代表取締役
弁理士／中小企業診断士
後藤 昌彦

SOGO HOREI PUBLISHING CO., LTD

はじめに

池井戸潤氏の小説『下町ロケット』をご存じでしょうか。何度かドラマ化されているので、読んだことがなくても、観たことはあるという人は多いでしょう。

ご存じない方のために簡単に説明すると、東京大田区にある精密機械製造業「佃《つくだ》製作所」を親から受け継いで経営する主人公が、自社の優れた技術を武器に、数々の困難を社員たちやパートナーとともに乗り越えていきながら、経営者として夢を実現していくのがストーリーの骨子です。

技術力が売りの会社が舞台なので、ストーリーのあちこちに「知的財産」（知財）の話が出てきます。たとえば、ライバル企業の罠にはまって特許侵害で訴えられることもあれば、反対に、ロケットエンジンに不可欠なキーパーツを大企業より先に開発して特許を取得したことで、その技術を巨額の対価と引き換えに買い取らせてほしいという話を大企業から持ち掛けられることもあります。

後者のケースでは、主人公は、社員の反対やキーパーツの自社開発にこだわる大企業側の反発を乗り越えて、単なる特許譲渡やライセンス契約ではなく、自社が大企業と対等な立場で、そのキーパーツを部品供給することを選択します。

冒頭から長々と『下町ロケット』の話をご紹介したのには、理由があります。実はこの個製作所こそが、この本で私が提唱する「知財戦略2・0」を実践する中小企業のひとつの理想像だからです。

高い技術力を武器に、経営資源の面で圧倒的に勝る大企業とも互角に渡り合って、不可欠なパートナーとしての地位を確保する。理想像としてはまさに完璧です。

このように言うと、多くの読者のみなさんは、

「うちのような中小企業に、そんな知的財産を創り出せるのだろうか?」

「"知的財産の活用"と言われても、ピンとこない」

と思われるかもしれません。

この本は、みなさんのそんな先入観を取り払い、「中小企業にこそ知的財産(知財)の創出と活用に取り組んでいただきたい」という思いで筆をとりました。

結論から言いましょう。

「大企業ではなく、中小企業だからこそ、知的財産戦略（知財の活用戦略）を策定し、実行する価値が高い」のです。

大企業が持っている経営資源は多大です。資金も潤沢にあるし、人的資源も豊富です。ものづくりの設備をたくさん所有し、世界各国につながる大きなグローバルネットワークも持っています。

言い換えれば、大企業は、知的財産以外の経営資源を豊富に持っているがゆえに、経営全体における知財の位置づけは、中小企業ほど高くはないのです。

その一方、中小企業は、「ヒト（人材）」「モノ（設備・インフラ）」「カネ（資金）」といった可視化できる経営資源が限られています。

多くの経営者は明日の資金繰りに頭を悩ませているのが現状です。ものづくりを行うための設備投資も、国や自治体などから補助金をもらってなんとかやり繰りしているということが多いのではないでしょうか。

しかし、売れる製品を開発するために活用できる特許を取ったらどうなるでしょうか？

その会社が有する知財の価値は非常に大きなものになります。

つまり、大企業と中小企業では、特許などの知財を持つ意味がまったく違っています。だからこそ、中小企業には知財戦略が必要なのです。

私はこれまで様々な中小企業の経営者から、知財や経営全般に関する相談を受けてきました。そして、多くの企業の知財に関する取り組みが十分でないことを肌で感じています。中小企業の経営者をはじめとする関係者の方々に、「これまで知的財産に対して抱いていた認識を改めていただきたい」という思いで、私はこの本で紹介する知財の活用に対する新しい考え方や取り組み方を「知財戦略2・0」と名づけました。

本文では、「知財戦略2・0」の導入が必要な理由から、「知財戦略2・0」を導入するために必要な自社の強みの洗い出し、知財を収益化するための手法の三態様（製品化、ライセンス、連携）の解説、「知財戦略2・0」を実行し続けるための体制づくりまで、私のこれまでの経験に基づく持論を述べています。また、巻末には、知財戦略を効果的に行っている中小企業のひとつとして、日本国内はもちろん海外でも成功を収めている大ヒット商品「ネジザウルス」で有名な株式会社エンジニアの髙崎充弘社長との「中小企業の知財戦略のあり方」に関する対談を収録しました。

中小企業のみなさまに、様々な気づきおよびヒントを与えられたのではないかと、自負しております。

どうか最後までじっくりお読みいただければ幸いです。

2020年5月吉日

株式会社IP MaaCurie　代表取締役　後藤昌彦

編集協力　堀 容優子
装丁　小松 学（ZUGA）
本文デザイン・DTP・図表作成　横内俊彦

第1章

なぜ、「知財戦略2.0＝知的財産の活用」が必要なのか

1 従来の日本型経営モデルでは、中小企業の経営を維持することはできない

従来の中小企業における経営モデル

大手企業の下請けとして、オーダーを受けたものを納期どおりに一定の品質を保って作ることができさえすれば経営的に成り立つ……。従来の日本の中小企業の経営モデルはそのようなものでした。

しかし、発注元である大企業が、中国をはじめとする人件費の安い新興国に工場を移転させたあたりから、中小企業の経営環境は悪化しはじめました。近年では新興国においても人件費が高騰し、また日本ほど高品質な製品作りができないという理由やリスク分散の観点から、一部に国内回帰の動きが見られますが、製造業における中小企業の経営状況が

よくなる兆しは見えません。

従来の下請け依存の経営モデルは、もはや通用しないと考えたほうがいいでしょう。いつまでも大手企業の下請け的な立場に甘んじていたのでは、これからの時代に生き残っていくことは困難であると言わざるを得ません。

■日本企業そのものの競争力が低下している

そもそも中小企業が寄る辺としてきた大企業そのものが、かつての力を失ってしまっているという事実もあります。

スイスにあるビジネススクールＩＭＤの世界競争力センターが毎年発表している「世界競争力ランキング」をご存じの方も多いでしょう。日本の国際競争力が低下していることの根拠として、メディアでもよく引用されています。

このランキングは「経済のパフォーマンス」「政府の効率性」「ビジネスの効率性」「インフラ」という大きく4つの基準に基いて総合的に判断されたものなので、企業の競争力だけではなく、国全体の競争力を示すものです。ただ、評価項目の1つ「生産性」に関して、日本は第41位と、主要先進国の中では最下位となってしまっています。

日本全体の競争力が低下した背景には、教育水準の低下が関係していると言われていますが、私は大企業が自社の生産性を上げる取り組みを怠ってきたことも大いに影響していると考えています。

いずれにせよ、大企業もその経営基盤は以前のように盤石とは言えません。このような側面からも、大企業に依存した経営モデルでは早晩立ちいかなくなるのは明白です。

■中小企業は自らの技術力の価値に気づいていない

中小企業においては、ＩＴ投資が進んでいないことが、生産性の向上を阻む主な要因となっています。情報化が遅れており、生産システムが旧態依然のままになっていることが多いのです。

中小企業は、日本に存在する全企業の実に99・7％を占めています。数でいえば圧倒的多数です。

私は、この圧倒的多数である中小企業が生産性を向上させ、力をつけていくことが、停滞した日本経済へのカンフル剤になると考えています。

言うまでもなく、日本の中小企業の中には、世界的に優れた技術力やノウハウを持つ会社が少なくありません。たとえば、洗練されたデザインで人気の高いアップルのスマートフォン「iPhone」で使用されている電子部品の一部が、日本の中小企業が作ったものであることはよく知られています。ほかにも、ＮＡＳＡ（アメリカ航空宇宙局）の国際宇宙ステーションや火星探査機などに使われている部品に、株式会社ユタカ（愛媛県松山市にある精密加工部品メーカー）など、日本の中小企業が作ったものが多くあることも周知の事実です。

これらの事実は、日本の中小企業が持つ技術力の国際競争力は、依然として衰えていないということを示しています。

ただ、残念なことに、多くの中小企業の方々は、自分たちが持っている技術や製品の凄さに気づいていません。それらを他社に対する自社の強みとして認識できていないことが多いのです。

たとえば、私が企業の技術評価のヒアリングをさせていただく際に、「御社は何を作っていますか？　どういうところに特徴があるのですか？」と尋ねると、「○○の技術と△

△の技術を持っています」という答えが返ってきます。その中には「他の会社にはまずないだろう」と思われるような希少な技術が含まれていることもあります。

「それこそが御社の一番の強みですよね」と私が言うと、「いや、こんなの当たり前のことだから」という答えが返ってくるのです。

社長さんにとっては日々の業務の中で使っている技術なので、その意味では〝当たり前〟なのでしょう。しかし、ちょっと視点を遠くに置いて客観的に見てみると、当たり前どころか、かなり特殊で、なおかつ汎用性があり、様々な分野で活用できる技術であることがわかります。

「もっと客観的に自分たちの持つ技術力やノウハウの棚卸をしてみればいいのに」と思うことが多いのです。

■中小企業が今後目指すべき経営モデルとは？

前述したように、もはや大手企業の下請け仕事だけで十分な収益を上げていくことが難しい現在および今後、日本の中小企業はどのような経営モデルを目指すべきなのでしょ

■図表1　中小企業が今後目指すべき経営モデル

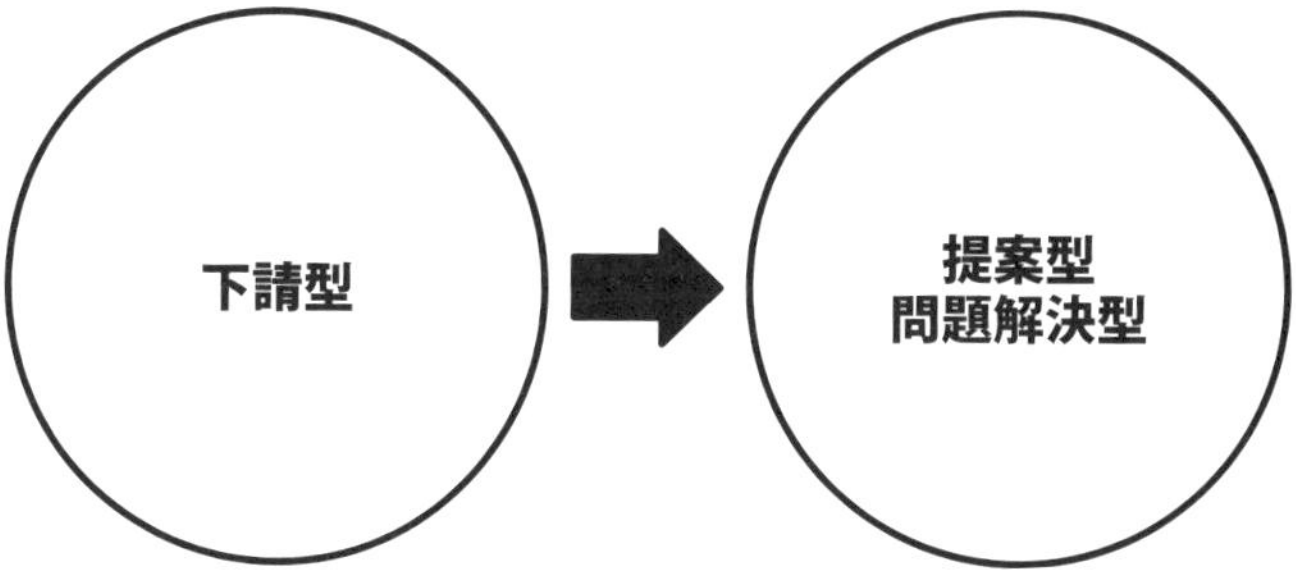

うか。

私は、「これまで仕事をもらう立場だった大手企業を、これからは対等なビジネスパートナーとして使いこなすようになっていかなければならないのではないか」と考えています。

これまでは大手企業に言われるままに作って、納品していれば、それで会社を維持することができました。

しかし、これからは大手企業が製品を作る上で直面している課題に対して、「こうすれば、それが可能になりますよ」という提案をする側に回るというやり方が必要になります（図表1）。

いわば、「大手企業の問題解決の手助けを

する」という形で、能動的に動いていくというわけです。

それを実現するために活用できるツールの1つが、本書のテーマである知的財産（知財）です。自分たちが持っている強みを「知的財産」という形に変えて、「当社はこんな技術を持っています。これを使って御社の問題解決ができませんか？」という提案をしていくのです。

たとえば、私がサポートさせていただいているA社は、食品の分析に優れた技術を持っており、大手食品メーカーと食品の共同開発を進めています。

開発の対象となっている食品は、材料をブレンドして独特の風味を出すことが重要なのですが、それには特殊な技術やノウハウが必要なのだそうです。

しかし、その技術やノウハウを持つ人材の数が大手企業には少なく、需要に対して供給が追いついていない状態でした。

そこでA社は、自社の強みである食品の成分を分析し、最もよい風味をブレンドできる機器を大手食品メーカーに提案。共同で開発を進めることになったのです。

このように、自社の強みを活かして大手企業に働きかけていく積極的な姿勢が、これからの中小企業には求められていきます。

POINT

多くの中小企業が、従来の下請け型ビジネスから脱却する必要に迫られている。日本の中小企業が持つ技術は国際的に競争力があるが、経営者の多くは自社の強みに気づいていない。これからの中小企業は、自社の強みを活かして大手企業の課題解決パートナーとなるべきである。

2

そもそも「知財戦略2・0」とは何か？

■知財戦略1・0と知財戦略2・0との違い

この本のタイトルである「知財戦略2・0」とは何でしょうか？

「2・0」とは、もともとソフトウエアのバージョンアップ版に対して使われていた表現ですが、近年は「従来とはまったく異なる新しい概念」を示す表現として使われることが多くなってきました。

私もこの本で「知財戦略2・0」を、従来の中小企業の知財戦略（＝1・0）とはまったく別のものと定義してお話しています。

端的に言えば、「知財戦略2・0」と「知財戦略1・0」の違いは、「経営に直結している

■図表2　「知財戦略1.0」と「知財戦略2.0」の違い

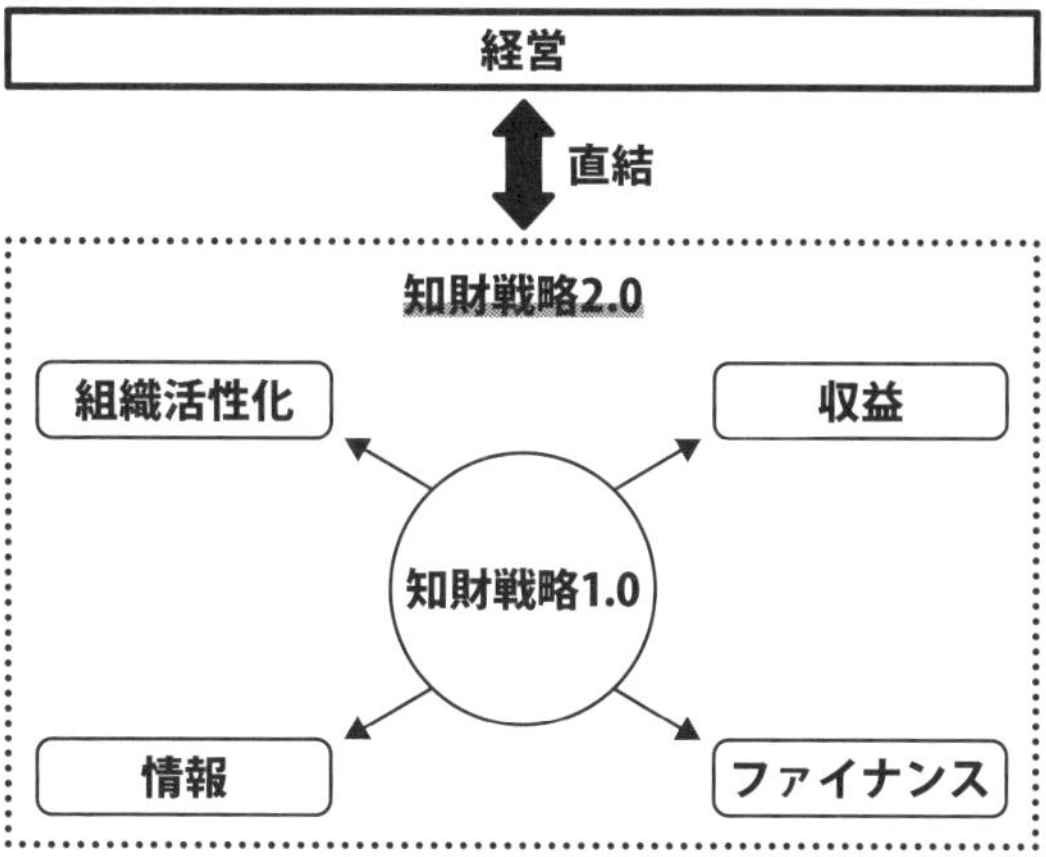

かどうか」です。

つまり、「知財戦略1・0」とは「アイディアを特許などの知的財産にする」にとどまることであるのに対し、「知財戦略2・0」とは、取得した知財を企業経営（収益、ファイナンスなどの「カネ」に関わること、および組織の活性化など「ヒト」に関わること、さらに後述する顧客探索のための「情報」に関わること）に直接活かしていく戦略のことを指します（図表2）。

「知財戦略2・0」にも守りと攻めが存在します。以降、「知財戦略2・0」で扱う知的財産の価値について説明していきます。

目に見える資産と目に見えない資産

会社の持っている資産は、形のある「見える資産」と、形のない「見えない資産」に分けることができます。

「見える資産」とは、決算書に記載されているお金や土地、建物、生産設備など有形の資産が持つ価値のことで、銀行が融資する際の評価基準となるようなものを言います。

しかし、会社の価値とは、有形のものだけではありません。決算書に記載されていない資産の価値というものも多いのです。

たとえば、社長が独自の人脈を持っているとか、経営者が「社内の変革をどんどん進めたい」と考えていて、それを形にするために将来を見据えた事業計画を作り、しっかりとそれを実行に移しているといった姿勢なども、私は会社の強み、資産であると考えています。このような会社は、決算書に決して表れない無形の知的資産の価値が高い会社と言えるのではないでしょうか。

■図表3　知的資産とは

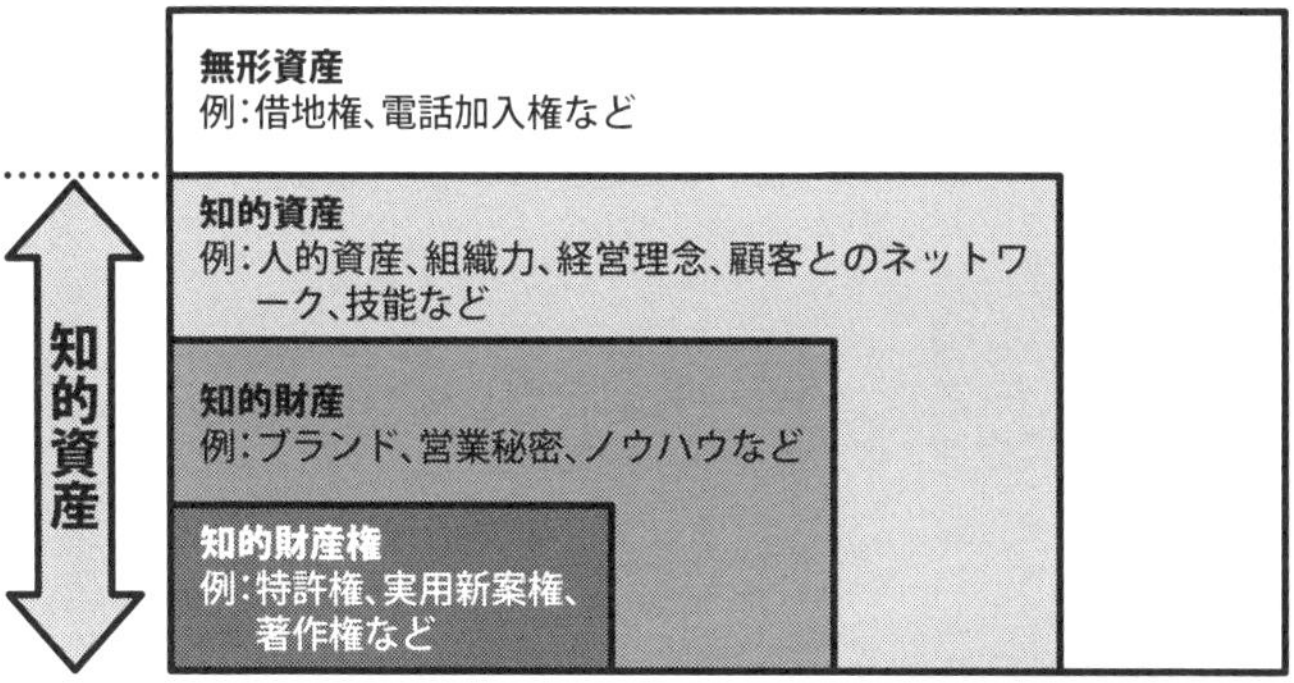

注：上記の無形資産は、貸借対照表上に計上される無形固定資産と同義ではなく、企業が保有する形の無い経営資源すべてと捉えている。

出典：中小企業基盤整備機構「知的資産経営マニュアル」

■知的財産の価値とは？

知的財産（知財）戦略の具体的な話に入る前に、前述の知的資産とはどのようなものなのかについて見ていきましょう。

図表3は、知的資産をどうとらえるかを示したものです。

一番外枠の「無形資産」とは、決算書上では「無形固定資産」とされているもので、借地権や電話加入権、ソフトウェアなどが該当します。

2番目の「知的資産」とは、前述した社長の人脈、あるいは、すごい技術を持った職人がいるとか、独特の組織を持っている、社長の経営理念がしっかりしているなど、決算書に表れないものを指します。外からは見えていない資産だけれども、実は収益の元になっている資産であるという意味です。

さらに、知的資産の中に「知的財産」があります。これは、ブランド力とか、製造業なら製造ノウハウや金型の図面といったものが該当します。

この知的財産の中で、特許や意匠・商標といった、法的な独占権を有するものが「知的財産権」となります。

特許を取ること自体が目的になっているケース

前述した数ある知的資産のうち、法的に独占的に使うことが認められた知的財産権の取得を目指すことは、非常に大切なことです。

しかし、単にこれらを取得しさえすれば安心というものではありません。知的財産権の対象となる特許や商標などは、実際の製品やサービスに活用されて収益を生んで、初めて意味を持つものだからです。

実際、せっかく特許や商標の対象となる技術やサービスマークを生み出したにもかかわらず、「その本当の価値をわかっていないのでは?」と思われる会社も少なくありません。

なぜ、そのようなことが起こるのでしょうか。

大変残念なことですが、それは「特許を取ること自体が目的となっている」ためです。

私がこれまで見てきたケースで最も多いのは、「何らかの技術的なアイディアを思いついて、試作してみたらうまくいきそうだったので、特許を出願して取得した」というパターンです。

つまり、せっかくユニークなアイディアを思いついても、特許が取得した時点で満足してしまい、そこから先のビジネスのプランを描けていないのです。

技術系の会社の社長室を訪ねると、壁におびただしい数の特許証を飾られていることがあります。特許証とは、特許を取得した際に特許庁から送られてくるもので、特許を取ったことの証明です。誇らしげに飾られているそれらの特許証を見るにつけ、私は「この会社は、これらの特許をしっかり活用できているのだろうか?」と思ってしまいます。

おそらく来客や取引先に対して自社の技術力をアピールするつもりで壁にかけているのでしょうが、率直に言って取引先にとって特許の有無はアピールポイントにならないでしょう。大変言いにくいことですが、特許自体に価値があるわけではないからです。

特許が価値を生み出すのは、その特許が活用されてからです。取引先からすれば、「その特許を使ってどんな形で収益を生み出すのか」「その特許を活用してどんな提案をしてくれるか」が重要なのであって、特許を取得していること自体に価値はないのです。

■知的財産権の価値は無限

知的財産権は、使い方次第で様々に活用することができます。

特許を使ってお客様のニーズに合った新しい製品やサービスを作り、収益アップにつなげることもできますし、「その特許を使いたい」という相手に貸与することでライセンス料を受け取ることもできます。受け取ったライセンス料を次の投資に回せば、さらに価値は高まっていくでしょう。

また、製品化やライセンス以外の使い方もできます。

たとえば、「銀行からの融資の材料にする」という使い方です。「当社はこんなにすごい技術を持っています」とアピールすることで、より有利な条件で融資を引き出せる可能性が高くなります。

また、「社内教育に役立てる」という使い方もあります。「うちの会社はこんなに素晴らしい技術開発をできる会社なんだ」ということを社員に知ってもらうことで、モチベーションのアップにつながるでしょう。

このように、使い方次第で無限大に価値を高めることができるのが、知的財産権なのです。

では、実際に日本ではどのくらいの特許出願がなされているのでしょうか。ここに興味深いデータがあるのでご紹介しましょう。

図表4は近年の日本の特許出願数に関するデータを大企業と中小企業に分けて示したものです。件数ベースでは、資金力の豊富な大企業が中小企業を圧倒していますが、それでも大企業が徐々に減少傾向であるのに対し、逆に中小企業が増加傾向にあることがわかります。また、企業数ベースでは、中小企業が大企業を圧倒し、しかも数にほとんど変化がありません。つまり、特許出願をする中小企業の数も、出願の件数も増えているということです。

このことは、「知的財産権の価値に気づいた中小企業が、特許取得に向けて積極的に動いている」ということを意味しているのではないでしょうか。

図表4　特許出願数に関する件数と企業数の推移(企業規模別)

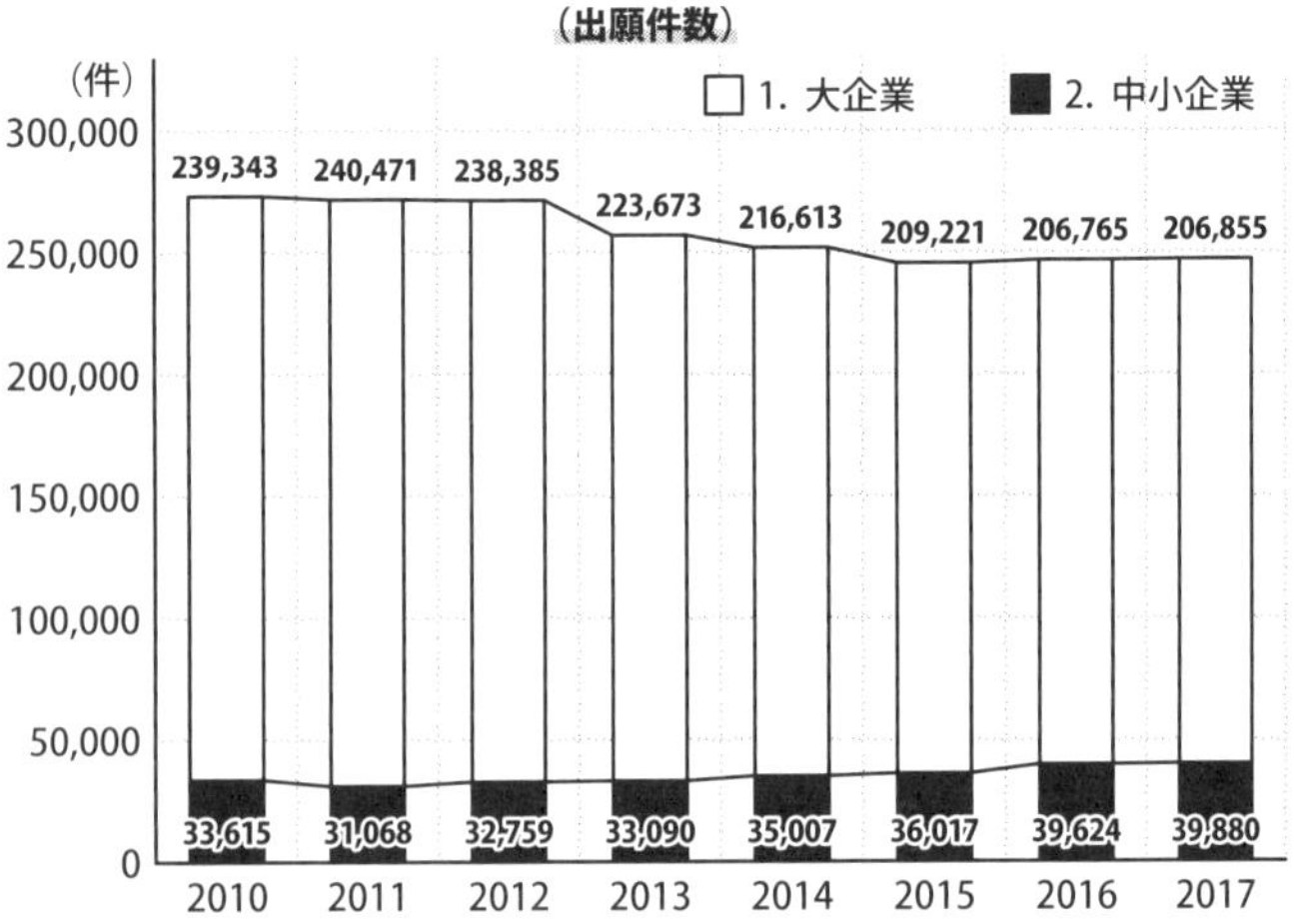
(出願件数)
(件)
1. 大企業
2. 中小企業
300,000
250,000
200,000
150,000
100,000
50,000
0
239,343
240,471
238,385
223,673
216,613
209,221
206,765
206,855
33,615
31,068
32,759
33,090
35,007
36,017
39,624
39,880
2010
2011
2012
2013
2014
2015
2016
2017

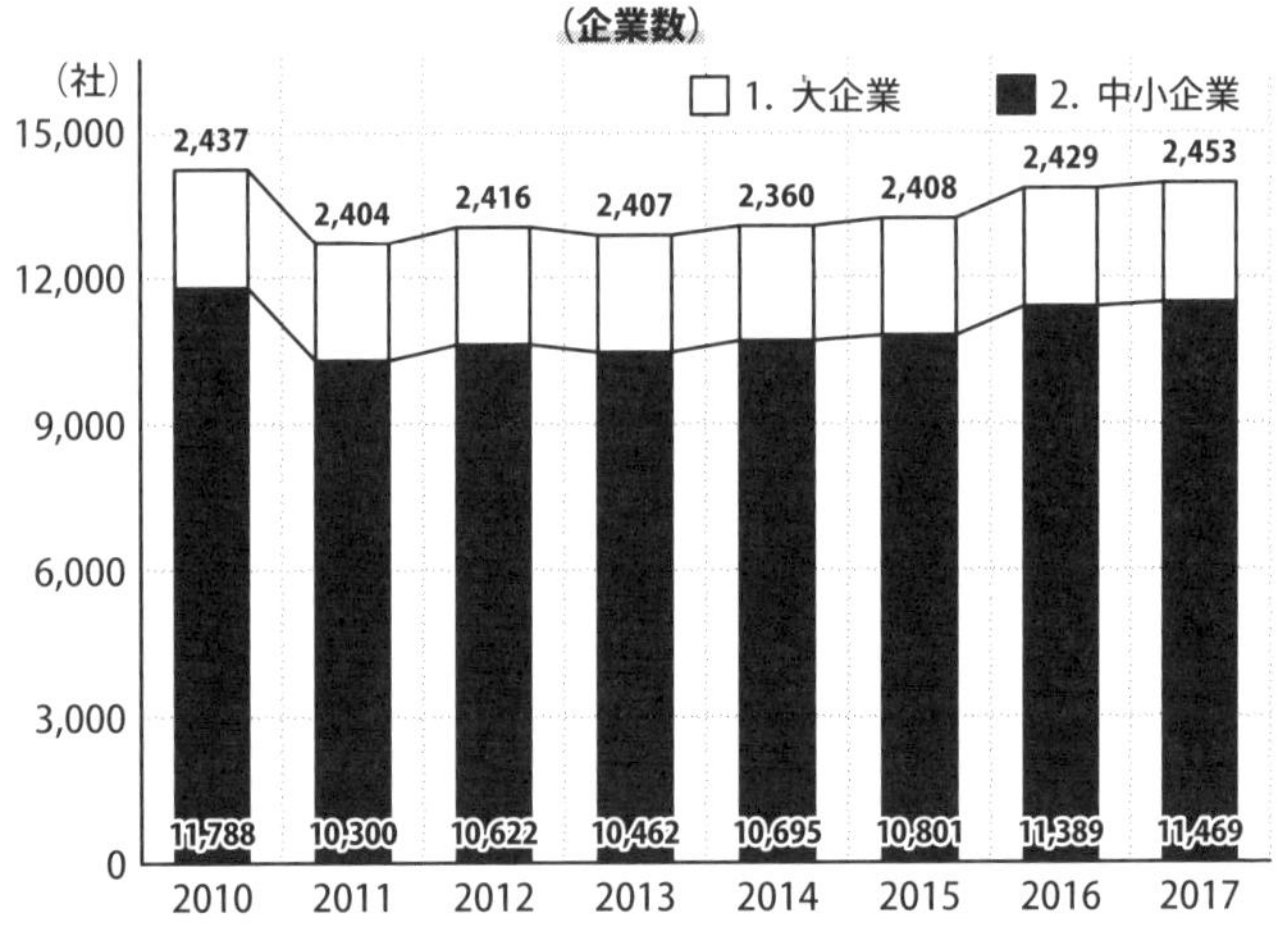
(企業数)
(社)
1. 大企業
2. 中小企業
15,000
12,000
9,000
6,000
3,000
0
2,437
2,404
2,416
2,407
2,360
2,408
2,429
2,453
11,788
10,300
10,622
10,462
10,695
10,801
11,389
11,469
2010
2011
2012
2013
2014
2015
2016
2017

出典：特許庁資料

前述したように、社長室の壁に貼ってアピールするための特許証で終わってしまっているケースもありますが、知的財産を活用して大手企業と協業し、業績を伸ばしている中小企業も増えてきているのです。

POINT

会社の資産は、有形資産と無形資産に分けられる。知的財産は無形資産の1つである。無形資産はそれ単独では価値を生み出すものではないが、製品・サービスなどに活用されることで、大きな価値を生み出す可能性を持っている。特許などを取得すること自体を目的化してはいけない。

3

見えないものこそ、「見える化」することが必要

■見せないと価値はわからない

前項で述べたように、知的財産には無限大の価値があります。しかし、無形の資産であるため、目で見ることができません。だからこそ、何らかのかたちで「見える化」していく必要があります。なぜなら、知的財産はただでさえ価値がわかりにくいものだからです。

たとえば、有形資産のうち、土地であれば、基本的には路線価を基準に価値が決められます。「この沿線のA駅から徒歩5分圏内のこの場所なら、坪単価はこれくらい」ということがある程度決まっています。

ところが、知的財産にはそうした基準となる価格がありません。したがって、特許を売

買する場合、基本的には、その特許がほしい人と、特許を持っている人との相対交渉で譲渡価格を決めることになります。

したがって、興味を持ってくれた人にその特許の価値をわかってもらうために、見せるべきところ、見せるべきことをしっかり見せていかなければいけません。

言い方を変えれば、知的財産は「見せ方次第で価値が変わる」ということです。だからこそ、見せ方に十分な注意が必要なのです。

■どうやって見せるか①　定性評価

私がクライアントが持つ知的財産を評価する際に用いているのが、そのクライアントが保有する知的財産（特許や商標）の定性評価です。

定性評価とは、ここでは数字では表しにくいものをあえて数字に置き換えて評価する手法を言います。

たとえば、図表5は「知財ビジネス評価」と言われているもので、

①　知的財産権の取り組み
②　権利自体の評価
③　活用特許の特徴
④　特許の市場性・競合性
⑤　特許の実現性

の5項目に対して小項目を設けて、細かく評価していきます。小項目の合計点を小得点とし、さらに小項目の平均点を大得点として評価していく仕組みです。

小得点の満点は100点となり、50点以上であれば知的財産の価値を理解し、それなりの取り組みをしている会社と判断されます。

図の例では小得点の合計が65点なので、かなりいいと言えるでしょう。

また、この中には「どのような技術を対象として特許を取っているか」ということも含まれています。たとえば、機械装置に関する特許なのか、医薬に関する特許なのか、また物に関する特許なのか、方法に関する特許なのか、といったことです。

■図表5　知財ビジネス評価(例)

大項目	小項目	小得点	大得点
1. 知的財産権の取り組み	⑴取り組み状況	4.0	2.3
	⑵ビジネスに活用している特許権の数	2.0	
	⑶特許管理体制	2.0	
	⑷連携・補助金活用など	1.0	
2. 権利自体の評価	⑴権利化状況	4.0	4.3
	⑵発明の技術的性格	4.0	
	⑶権利範囲	5.0	
	⑷活用特許権の残存期間	4.0	
3. 活用特許の特徴	⑴種類	3.0	2.5
	⑵発明のカテゴリー	2.0	
	⑶ライセンス状況	1.0	
	⑷技術移転の可能性	4.0	
4. 特許の市場性・競合性	⑴特許を活用した製品の国内市場性	3.0	4.3
	⑵特許を活用した製品の海外市場性	5.0	
	⑶特許を活用した製品の独自開拓	5.0	
	⑷ 優位性	4.0	
5. 特許の実現性	⑴自社売上高への寄与	2.0	3.0
	⑵特許を活用した製品の独自販売	2.0	
	⑶自社商品開発動向	4.0	
	⑷特許出願後の対応	4.0	
	小項目の合計点	**65.0**	

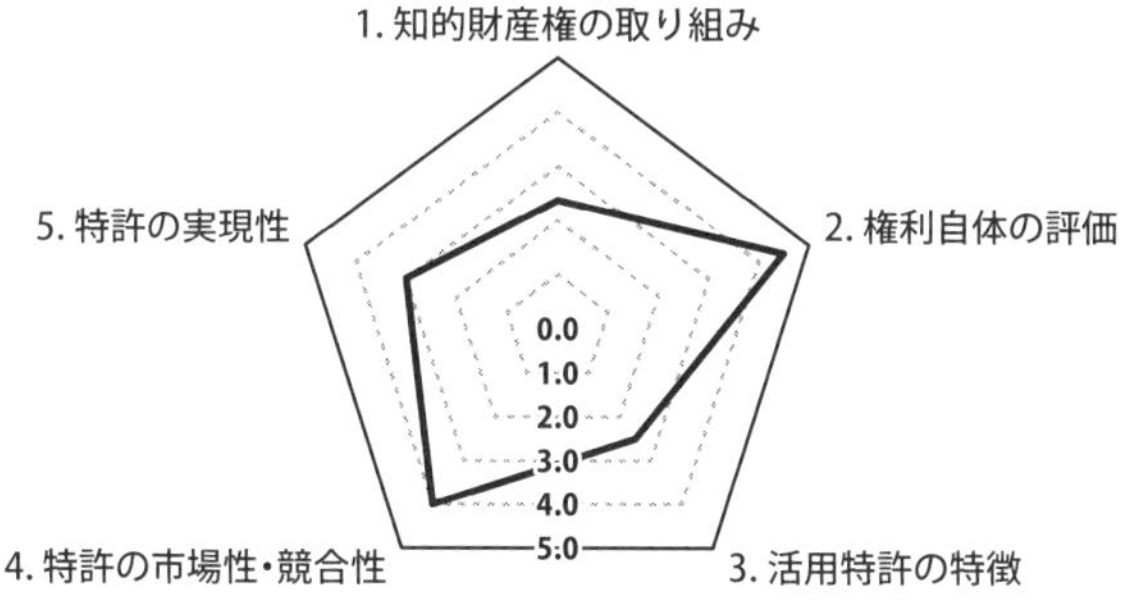

出典：一般社団法人知財経営ネットワーク｢知財ビジネス評価書｣

■評価会社の存在

定性評価は、誰もが対外的アピールに用いることができるという性質のものではありません。誰もが使えるのでは、信頼性が担保できなくなってしまいます。

一定の資格（弁理士、中小企業診断士、技術士）を持った人が、この評価制度に基づいて評価を行った際に、初めて価値を持つものとなっています。

運営母体となっているのは「一般社団法人知財経営ネットワーク」（略称ＩＰＮ）という組織です。知的財産の活用に従事してきた経験の豊富な専門家が連携して、さらに知財の高度な活用方法を見出し、中小企業における様々な経営課題の解決に貢献することを目指しています。

技術分野、経営分野、知財分野、ＩＴ分野、労務管理・人材育成などの人材分野、環境・エネルギー分野、法務分野、税務・財務分野などのエキスパートである複数分野の士業等によって構成されています（図表６）。

この「知財ビジネス評価」の作成・提供は、特許庁が行っている取り組みでもあり、知

■図表6　一般社団法人知財経営ネットワーク(IPN)の支援事業

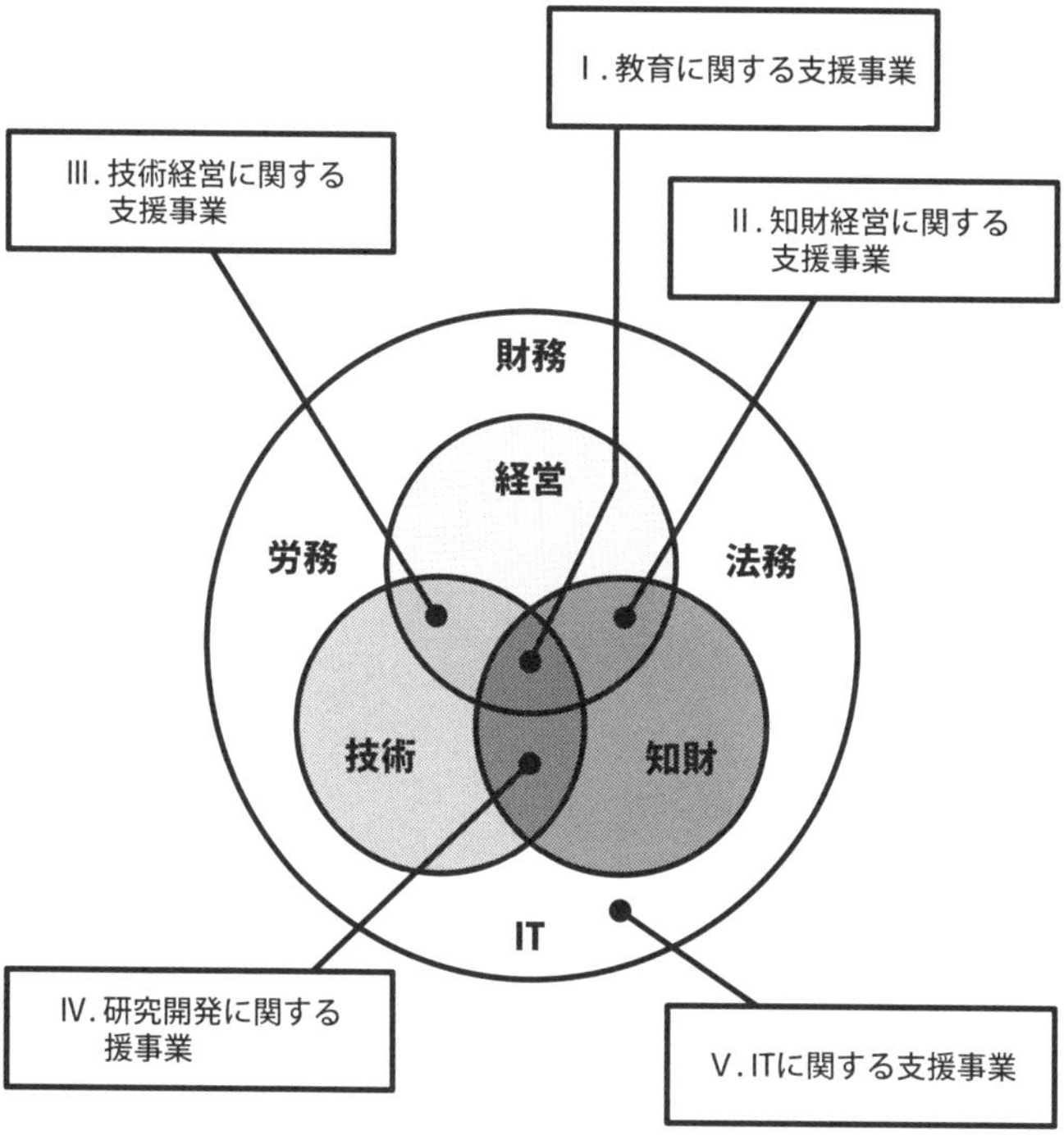

Ⅱ 知財経営に関する支援事業 ～知的資産・市場調査・知財経営～

- 知財に関する報告書の作成支援(知的資産経営報告書、CSR報告書、知財評価など)
- 特許や実用新案の出願支援(明細書作成や出願手続きなど)
- 秘密保持契約書、特許ライセンス契約書等の作成支援
- 特許調査(ポジショニング分析など)
- ISO取得支援

出典：一般社団法人知財経営ネットワーク(IPN)ホームページ

財評価を行うには、特許庁に評価会社として登録することが求められます。現在のところ、登録している評価会社はＩＰＮを含めて10社程度となっています。

私もＩＰＮのメンバーですが、金融機関から「この会社は特許を持っているけれども、その特許を活用しているかどうか調べてほしい」という形で評価依頼を受けるケースが多いです。銀行は特許については詳しくないので、専門的な知識を持っている人にしっかりと評価してもらい、その上で融資の判断をしたいわけです。

こう言うと、中小企業としては「評価される一方」という印象を受けられるかもしれませんが、私はそこを逆手に取って「〝攻めの知財評価〟のために用いるという方法もあるのではないか」と思っています。

積極的に知財評価を利用して、「当社が持っている特許は、こんなに高い評価を受けているんですよ」とアピールしていくのです。

そうやって、自社の持つ特許の価値を「見える化」していくことが大事なのではないでしょうか。社長室の壁に特許証を貼るよりも、取引先に与えるインパクトははるかに大きなものになるでしょう。

■どうやって見せるか②　定量評価

定性評価が、数字にしにくいものをあえて数値化するのに対し、定量評価は最初から数字にできる評価です。

たとえば、特許で定量評価できるものと言えば、特許を出してから自社がその権利を独占できる期間などがそれに当たります。

特許の存続期間は特許を出願してから20年までです。そこから逆算して、たとえば今、特許を出願してから5年経過していたとしたら残存期間は15年ということになります。この「残存期間15年」が定量評価の対象となるわけです。

当然のことながら、特許の残存期間が長ければ長いほど独占期間が長いので、評価は上がることになります。

その他、研究開発にいくら投資しているか、実際に事業に活用している特許や商標の数なども定量評価の指標となります。

特許の金銭的価値というのも、定量評価の1つです。すなわち、特許を持っていることによって売り上げがこれだけ増えるとか、あるいは他の会社からのライセンス料がこれだけ入るなどについて、一定の前提条件を設定して評価を行います。

■使いやすい定性評価、アピールに役立つ定量評価

ここまで数字にしにくいものをあえて数値化する定性評価と、そのものずばり数字で評価する定量評価についてご説明してきました。

特許に関する評価でよく使われているのは定性評価ですが、アピールするのに有用なのは定量評価です。

たとえば、特許のライセンス取引などの際、最終的にはお互いの交渉でライセンス料をいくらにするかを決めるわけですが、その際の参考資料になるのは、金銭的価値を計ることのできる定量評価だからです。

■特許の評価を通じて社長の意識が変わる

私はクライアントの社長に最初にお会いしたとき、必ず特許の評価についてお話をさせていただくようにしています。

こういう評価方式があって、これをすることで自社の特許が現状どう活かされているか、どれくらいの価値を持つかが客観的にわかりますよ、とご説明します。

特に中小企業で多いのが、保有する特許についてのヒアリングをしているうちに、実は特許そのものよりも、特許では表せないノウハウ部分に事業を行う上で重要なファクターがあったというケースです。

それらのノウハウ部分は、本来、門外不出にしておくべき部分です。誰が管理者で、どのような管理基準を設けているかについて、社内の体制を整えて明確にしておかなくてはなりません。

中小企業では往々にして、そのあたりがあいまいになっていることが多いのですが、お話をさせていただくうちに、社長の知財に対する意識が変わっていく場合があります。たとえば、「今までは特許は製品の保護のためだけに取得すればよいと思っていたが、もっと積極的に活用をすることで、価値が高まることを再認識した。目からうろこが落ちた」というご意見を伺ったことがあります。

POINT

無形資産である知財は、何らかの形で「見えるように」していかなければ、価値を主張することができない。知財の評価方法には、数字にしにくいものをあえて数値化する「定性評価」と、最初から数字で評価する「定量評価」の2つがある。それぞれの利点を活かして用いるべきである。

4 知財における「守り」の視点と「攻め」の視点

「守り」はなぜ大事なのか？

私が知財に関する本を書くのは、本書が2冊目となります。1冊目の本では「いかに〝攻め〟の視点が大切か」を強調して書きましたが、最近になって考え方が少々変わってきました。やはり〝守り〟の視点も重要なのではないかと考えるようになったのです。

私のクライアントに、アイディアがどんどん湧いてくる社長がいます。まさに湯水のように、様々なビジネスのアイディアが浮かんできます。私には、その発想力の豊かさがうらやましい限りなのですが、実はこの社長には一つ弱点があります。

それは、頭に浮かんだアイディアをすぐ「口に出してしまう」ということです。

「知らないうちにうちのアイディアが盗られて、よその会社の製品になっていることがよくある」と言うのですが、おそらくあまり場所や相手を選ばずに、思ったことを口にしてしまっているからでしょう。

これが大手の会社であれば、社員は秘匿義務ということを「これでもか！」と指導されるので、新しい事業プランやアイディアを「口にしないのが当たり前」なのですが、中小企業では、社長も社員もその意識をあまり持っていないという印象があります。

まずは「思いついたことを容易に口にしない」という意識を持つべきであり、それが必要最低限の「守り」となることを認識していただきたいと思います。

また、特許をたくさん取っているのにもかかわらず、それを真似されることへの対策がまったくおざなりになっている会社のケースもあります。これも「守り」が後手に回ってしまっているために起こる現象です。

たとえば、１９９０年代中頃以降、中国や台湾のメーカーが、日本のメーカーが開発した半導体や液晶テレビなどの家電を精巧に真似て作り、価格競争で日本側が負けてしまうということが起こりました。

その原因となったのも、「守り」がうまくできていなかったことにあります。

中国や台湾のメーカーは、日本のメーカーが取った特許の範囲から少し外れた装置をうまく作ったのです。言葉は悪いですが、日本のメーカーが文句をつけることができないようなものを作り、うまく逃げおおせたわけです。また、仮に日本のメーカーが取った特許の範囲に入るような製品を作っていたとしても、その解決には多大な時間と莫大な費用・人員が必要であり、また中国や台湾で日本のメーカーが裁判で勝訴できる予測もできなかったこともあり、十分な防御態勢をとれなかったことも一因と思います。

日本側は細かいレベルの特許をたくさん取ったにもかかわらず、先方はその間隙を突くかのように特許に引っかからないような製品を作られてしまう。それはやはり「守りの特許」というところまで頭が回っていなかったとしか言いようがありません。

その他の例を挙げると、「無印良品Ⓡ」（株式会社良品計画の登録商標）という有名な日用品ブランドが中国に出店しようとしたところ、中国企業に先に同じ名称で商標を取られていて、中国市場ではブランド変更を余儀なくされたということがありました。

また、岩手県の鉄器業者が団体商標登録している「南部鉄器」も、中国市場で売り出そうとしたら、やはり中国企業が同じ名称で商標を先に取っていて、それを無効にしてからでないとビジネスができない状態になっていたという事例がありました。この件については、結局中国の商標権者の主張が認められたようです。

自社製品の海外展開を考えている場合は、「守り」のために商標登録だけでも先に出しておくというのは、必要な対策の1つでしょう。

■自社の競合相手がどこなのかを知っておく

「守り」にあたっては、自社の競合がどこなのかを知っておく必要があります。競合がわからなければ、対策のしようがありません。

先ほどご紹介した定性評価の項目に「4 特許の市場性・競合性」というものがありましたが、ここを明確にしておくことが大切ということです。

私はクライアントにヒアリングするとき、必ず「御社の競合先はどこですか」と尋ねるようにしているのですが、「どこだろうな」「よくわからない」と答える社長が少なくありません。そんなときは私のほうで調べて、逆に情報提供をするようにしています。

■「守り」と「攻め」のバランスが大切

ここまで知財を保護することの重要性について述べましたが、もちろん「守り」だけでもいけません。やはり知財は積極的に活用してこそ、価値を発揮するものだからです。

つまり、「保護＝守り」と、「活用＝攻め」の両方が必要ということです。実際の両者のバランスについては会社ごとに異なってくるとは思いますが、基本的には守りと攻めのバランスをとることが大事になってきます。

攻めの手法の1つとして考えられるのが、とにかく先に特許を取得してしまうというやり方です。

たとえば、アイディアはあっても、自社で開発する資金は持っていないという場合、他社と共同開発することで資金調達をすることを目的に、先に特許を取っておきます。

ライセンス先の候補を探す際にも、すでに特許を取得しているということは、大きなセールスポイントになり、ライセンス交渉を有利に進めるツールにもなるでしょう。

こうした「攻めの視点」での特許の活用の仕方は、日本の中小企業においては特にできていないように見受けられます。

POINT

「知財戦略2・0」においても、「攻め」と「守り」の視点の両方が大切である。自社の知財を他社に先に権利化されてしまうことを防ぐ（守り）と同時に、他社に先んじて権利化する（攻め）ということも同時に考える必要がある。特に「攻め」の視点は、日本の中小企業は弱い点である。

5 次代を担う経営者が持つべき「マインド」とは

■理念とビジョンをはっきりさせる

中小企業における全般的な傾向として、「知財の活用がうまくできていない」という印象がありますが、中には知財を上手に活用して業績を伸ばしている会社もあります。経済紙やビジネス雑誌でそのような企業の記事を読んだことのある方もいるでしょう。

そうした会社に共通している特徴は、経営者にしっかりとした経営理念があり、「将来こうなりたい」というビジョンを鮮明に思い描けているということです。

私は日頃、多くの中小企業のコンサルタントをさせていただいていますが、知財評価のためのヒアリングの中で、「御社の経営理念はどんなものですか」と必ず尋ねるようにしています。

クライアントの中には創業以来何十年も事業を継続している会社もあり、当然、「形になった経営理念はなくても、経営に関して何らかの独特の考え方があってしかるべき」と当初は思っていました。

ところが、驚いたことに、「そういうものはない」と答える社長が、私の感覚では7割にも上るのです。

そんなはずはないだろうと思い、「仕事を受けることを決める際、基準にしていることはありませんか」など、できるだけ具体的に聞くようにすると、ようやくチョロチョロと出てきます。

根ほり葉ほり質問されると何とか答えられるけれども、「経営者自身の中で『なぜ、この会社が存在するのか』という存在理由にダイレクトに関わる経営理念についてまとまりがついていない、認識できていないというのはどうなんだろう?」というのが私の率直な思いです。

■図表7　理念とビジョンをはっきりさせたうえで、実行計画を立てる

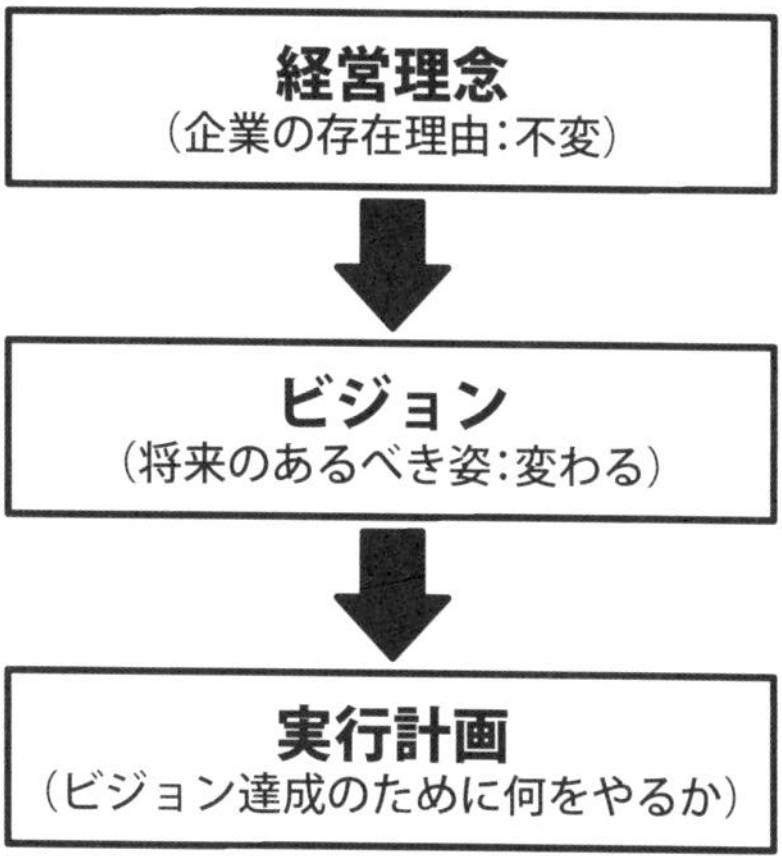

■経営理念・ビジョンと知財戦略は一体である

「会社に経営理念がない」ということは、「国に憲法がない」のと同じことです。憲法なくしてリーダーが一国を統率していくことができないのと同じように、経営理念なくして経営者が会社を率いていくことなどできないと思います。

もし、「そういえば自分の会社に、経営理念と呼べるようなものはないな」と思ったら、「先代の教えがこうだったので、今でもこういうことを踏まえて営業している」でも、「創業家であるわが家の家訓はこうなっている」でもかまいません。何かポリシーのよう

なものは必ずあるはずです。

それらに基づいて、「将来、自社はこうなっていたい」という展望を具体的に思い描いてみましょう。

「5年後に売上高をいくらにする」とか、「利益率をこれだけにする」「従業員を何人増やす」など、どんなものでもけっこうです。これがビジョンとなります。

会社の存在理由である経営理念や、「何年後にこういう会社になっていたい」というビジョンがあって、それを実現するために、どういう戦略でどういう経営資源を使えばいいかということがはっきりしてきます。その戦略の中の一つとして、知財の活用があるということです（図表7）。

この第1章では、「なぜ、『知財戦略2・0＝知的財産の活用』が必要なのか」についてご説明しました。

続く第2章では、「知的財産の活用ストーリーを描く〜『知財戦略2・0』の導入」というタイトルで、知財活用戦略の導入についてご説明します。

POINT

知財をうまく活用して業績を伸ばしている会社に共通する特徴として、経営者に「経営理念」と「将来、こうなりたい」というビジョンがあることが挙げられる。これら経営理念とビジョンがあって初めて、知財戦略を含めた経営戦略とその実行計画を明確に描き出すことができる。

COLUMN

知財ビジネス評価書による知的財産の評価

近年、特許庁のバックアップの下、全国の金融機関で特許権等の知的財産を活用している中小企業に対し、知財を切り口とした事業性評価をしようという動きが広まっています。

これは「知財ビジネス評価書事業」と呼ばれるもので、金融機関が中小企業から相談を受けたとき、特許庁からこの事業を委託されている三菱ＵＦＪリサーチ＆コンサルティング株式会社につなぎます。そして同社が提携している調査会社（特許事務所も含む）に評価書の作成を指示します。

指示された調査会社が相談者である中小企業をヒアリングのために訪問し、合わせて評価対象特許の中身を判断して評価書を作り、金融機関にバックします。中小事業者はその評価書を金融機関を通じて受け取り、自社の評価や融資の材料など自由に使うことができます。

自社の知財ビジネスを客観的に判断する一助として利用してみてはいかがでしょうか。

第2章

知的財産の活用ストーリーを描く
～「知財戦略2.0」の導入

1 知財における、戦略と戦術の違い

■戦略と戦術を混同していませんか？

「中小企業が目指すべきは、ナンバーワンというよりも、オンリーワンではないか」と私は思っています。「自社にしかできない」というポジションを目指していくことで、堅実かつ発展的な経営が可能になります。

この章では、「オンリーワン」を目指すためのファーストステップとして、「知財を活用したストーリーをどう描いていくか」についてお話ししていきましょう。

第1章の終わりで、知財を活用する前提として、「明確な経営理念を持ち、それに基づいた将来像＝ビジョンをはっきりさせることが必要である」とお話ししました。つまり、

■図表8　「経営理念」「ビジョン」「戦略」「戦術」の関係

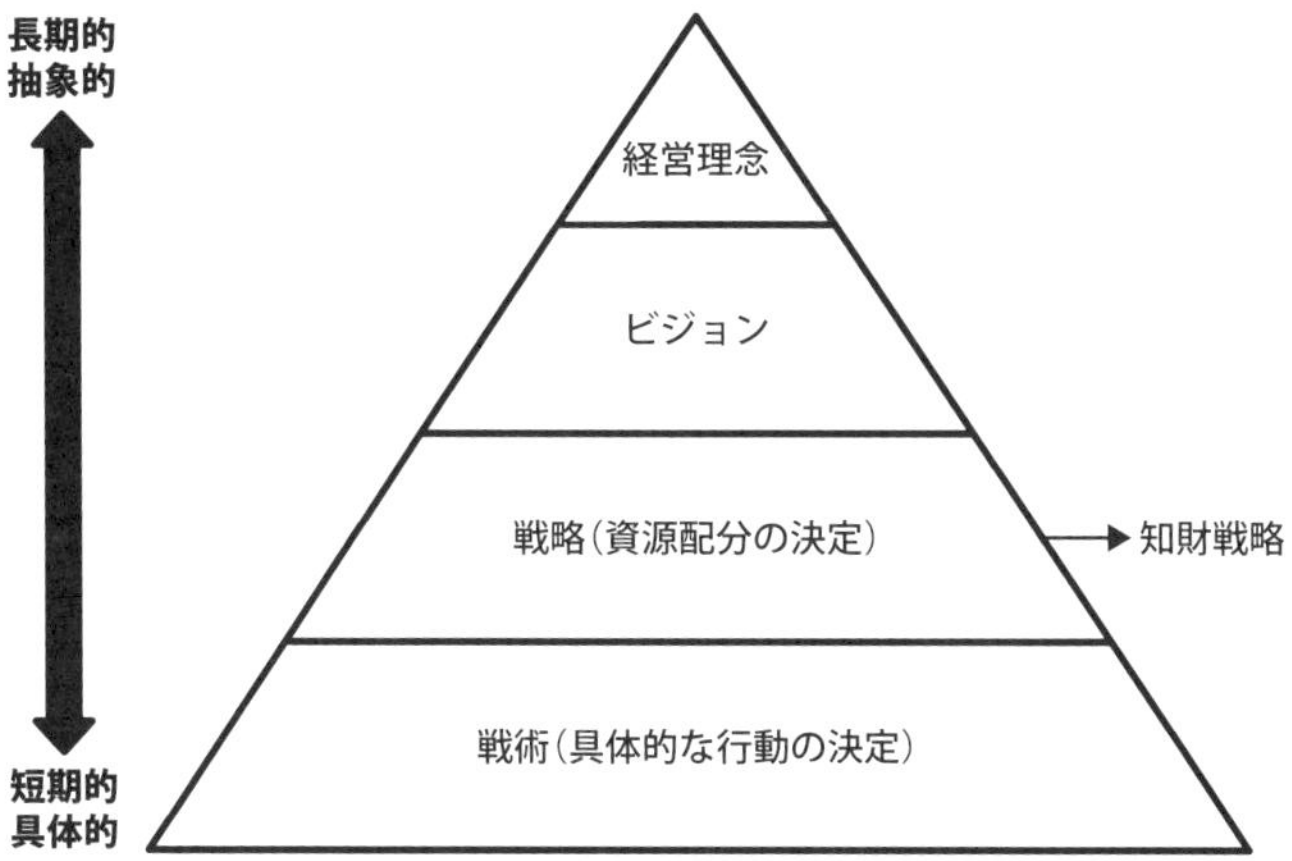

ビジョンとは、「経営理念を達成するための打ち手」だということです。

ビジョンの下位に来るものとして「戦略」と「戦術」があります。戦略は「ビジョン」という目標を達成するための打ち手であり、この戦略を達成するための打ち手が戦術となります。

企業経営において、前述した「経営理念」「ビジョン」「戦略」「戦術」の関係は、図表8のようなピラミッドを形成していると考えられます。

私が気になっているのは、中小企業の社長の中に、戦略と戦術を混同している人が少なくないということです。

本来、戦術とは、社長が立案した戦略に従

って、現場の責任者やその部下が実行すべきものです。ところが、現実には社長自身が戦術レベルのことまで行っている場合が多く見受けられるのです。

なぜ、社長は戦術レベルのことに時間を割くべきではないのでしょうか？　その理由は2つあります。

1つは、「社長には他にやるべきことがたくさんある」からです。現場レベルのこと（戦術）に時間を割くよりも、その上位概念である戦略を策定し、「こうやる」と方針を決めることに時間をかけるべきです。

2つめは、「社長が現場レベルのことまでやってしまったら、社員がいつまでも育たない」ということです。社員は具体的な戦術を考えさせることで育ちます。社長が戦術にまで関わるということは、社員の成長の機会を奪うことになってしまいます。

図表8のピラミッドでは、下位に行くほど視点が短期的・具体的、上位に行くほど長期的・抽象的になっています。期間で言えば、経営理念とビジョンは長期的、戦略は中期的、戦術は短期的なものとなります。

しかし、たとえば、製造業で自身も現場に出て機械を動かしているような社長の場合、中期的な戦略よりも、「その日、自分が何をやるか」ということだけに意識が集中してしまっているように見受けられます。言葉は悪いですが、私の目には「その日暮らしで将来どうなるのかを考えていない」ように映ります。

少々厳しい言い方になってしまいますが、それで会社が発展するはずもありません。「もっと長期的に自分の会社が生き残っていく方法を考えるようにしてほしい」というのが私の願いです。

■戦略とは

では、ここで「戦略とは何ぞや？」についてご説明しましょう。

戦略とは、将来的に会社が「こうなりたい」という目標（ビジョン）を決め、それを実現させるための「ヒト」「モノ」「カネ」「情報」の使い方の計画のことを言います。「ヒト」「モノ」「カネ」「情報」はいずれも重要な経営資源です。これらをどう効率的にうまく使うかが社長の腕の見せどころということになるわけですが、それには社長自身が自社の「ヒト」「モノ」「カネ」「情報」の現状をきちんと把握できている必要があります。

■財務的なことがわかっていない社長が多い

ところが、中小企業の社長のヒアリングを進める中で、「私、財務のことは何もわかりません」と言われることがしばしばあるのが現状です。

「社長がお金のことをわかっていない」ということは、「何かを始めようとしたときに、今、それを行うためのお金がどれくらいあって、それをどう配分するかを決められない」ということです。

これでは戦略の立てようがありません。

社員が数十人規模の会社でも、「お金のことは全然わからない」と言う社長がいるという事実に、私は肝を冷やす思いがします。

資金繰りは奥様に任せて、決算書を作るのは顧問税理士。税理士が作ったものに対して、「あ、そうか」と言うだけ。

決算書をきちんと見れば、自分の会社の置かれている状況がもっとよくわかるはずなのに、まったく興味を示さない社長の何と多いことでしょうか。自分が作っている製品についてはすごく詳しいのに。

それでもここまで生き残ってこれたのは、受注した製品を納期どおりに求められる品質できちんと作ることができ、継続して仕事をもらうことができたからです。しかし、それが可能だったのは、日本の製造業が元気で、大手企業が仕事を出してくれたからに他なりません。

第1章の冒頭で触れたように、もう大手の下請けだけでは中小企業は生き残ってはいけません。「お金のことはわからない」などと言っていられる状況ではないのです。

まずは、今、自社にお金がどれくらい残っていて、利益がどれくらい出ていて、毎月の資金はどんな感じで回っているのか、全体像を必ず把握しておくようにしましょう。

■知的財産ポートフォリオを作る

その上で、知財を経営資源の1つととらえ、誰がどれくらいの資金を使って、どういう知的財産を取っていくか、会社の知的財産ポートフォリオを作っていきます。

たとえば、スマートフォンの開発を行う場合においても、図表9のように「特許」「意

■図表9　知的財産ポートフォリオの例

匠」「商標」という知財の取得と活用により製品の保護と販売促進に役立てるということが必要となります。これが知的財産ポートフォリオです。

ここで今一度、戦略について確認しておきましょう。

戦略とは、「企業が決めた長期目標を達成するために、その企業が有する経営資源をどう配分するかを決めること」です。

その決定をするのは社長です。会社の長期的目標を決め、会社が持っている資源がどれだけあるかを正しく把握し、それをどう配分することで投資効率が最も高くなるかを考えて決めるのが、社長のすべきことなのです。

■ベンチマークを設定する

「将来、こうなれたらいいな」と目標としている会社はありますか？　それをベンチマーク（指標）として設定すると、具体的な戦略を立てやすくなります。

図表10でご紹介した表は、独立行政法人中小企業基盤整備機構（中小機構）のホームページからダウンロードできる支援ツールの一種です。さまざまな観点からベンチマークとしている企業と自社とを比較することができ、「自社に足りないものが何なのか」「ライバルと差別化できるとしたらどの部分なのか」など、分析するのに役立ちます。ぜひ活用してください。

■戦術とは

戦略を実行するための具体的手段が「戦術」です。

本章の冒頭でも触れたように、社長はこれを自分では考えたり、実行してはいけません。

■図表10　ベンチマーキング・ライバル比較シート（仮）

〈製造業の場合〉

	評価項目	自社		ライバルA社		コメント
商品	商品機能・性能	○	高速対応力に優れる	○	品質安定性に優れる	差別優位性はない
	デザイン	△	接地面積が広い	○	全般的にコンパクト設計	自社は機能重視でデザイン志向が薄い
	商品価格	○	価格は柔軟に対応	○	価格は柔軟に対応	業界はワンプライス志向の中で、柔軟性対応に優れる
販売	販売ルート	△		◎		
	販売地域	○		◎		
	販売技術・手法	◎		△		
	人的体制	○		○		
サービス	サービス体制					
	サービス技術					
生産・納期	納期・リードタイム					
	生産体制					
	生産技術					
	購買先					
経営	生産性					
	売上伸長率					
	収益性					

◎：圧倒的に優れる（または業界トップ）
○：優れる（または業界上位）
△：競争力はない（または業界平均）
×：特に劣る（または業界下位レベル）

出典：中小企業基盤整備機構「ベンチマーキング」より

知財の予算と担当者を決めて、その担当者に任せるようにします。

担当者は与えられた予算内で知財の内容を決めることになります。前述した知的財産ポートフォリオに基づいて、自社が取るべき知財は、特許なのか、意匠なのか、商標なのか、どういう内容で取っていったらいいのかなどについて具体的に考えます。

戦術とは、日常的な作業です。日常業務とは、与えられた予算で、具体的に知財の内容を決めて、「お金がいくらかかった」と報告し、「今回、こういう内容の特許をいつ出しました」と報告するといったようなことです。

あるいは、他の会社から特許を買う場合、「その特許を買って本当に事業になるのか」「特許を買った後、どれくらいの経営資源を使ったらその特許を活かして事業を成功させるのか」という戦略は経営者が考えることです。しかし、「こういう条件で買いましょう」「契約はこういう内容で結びましょう」といった相手との具体的な交渉のやり方は、担当者が戦術として行う業務です。

■特許を取る範囲を決める

特許における戦術についてもう少し詳しくお話ししましょう。

特許を出願するにあたっては、特許庁に提出する明細書にどのような言葉を使って書くかが非常に重要となります。なぜなら、明細書に使われた言葉次第で権利範囲が変わってくるからです。

たとえば、クライアントの担当者が書いた明細書に「バネ」と書いてあった場合、私は「バネと書いてありますが、弾性体に変えたほうがもっと権利範囲が広くなりますよ」とアドバイスします。「バネ」といったら金属がクルクルの形状のものに限定されますが、「弾性体」であれば、金属以外にゴムも含まれるためです。

とはいえ、特許は権利範囲を広くしすぎると、同じ内容の特許とバッティングするので、そもそも取りにくくなります。逆に範囲を狭めれば取りやすくなりますが、そのかわり守れる商品の範囲も少なくなります。

できるだけ広範に取るのが基本ですが、すでに取得された特許や技術などとのバランスを見ながら、ギリギリ広くなるようなところを狙っていくのが大切なのです。

このあたりは、慣れがものを言うところなので、最終的には特許申請の経験が豊富な弁理士に相談しながら決めていくことが多いようです。

しかし、社内の知財担当者に場数を積ませ、申請業務に慣れさせるためには社内でやるようにしたほうがいいのではないかと私は思っています。

特許情報プラットフォーム（J-PlatPat®、略称ジェイプラットパット）は、独立行政法人工業所有権情報・研修館（ＩＮＰＩＴ）が運営する、すべての特許、実用新案、意匠及び商標などの情報を誰もが無料で検索・照会することができるデータベースです。キーワードや分類記号などを組み合わせて、弁理士などに依頼しなくても、自社で過去の特許の調査を行うことは決して不可能ではありません。

弁理士に頼むとお金がかかるのはもちろんですが、特許の調査はやはり自社の技術の内容をよく理解している人が行うのがベストです。技術の内容を理解している人が特許情報を読めて、他社の重要な技術を抽出できたほうが分析もできるし、どのように対応したらいいかをすぐに決めることができます。

したがって、将来的には、開発者と知財の担当者がペアになって、社内で調査できるようにしていくのがいいのではないでしょうか。

POINT

ビジョンを実現する手段として「戦略」と「戦術」がある。社長は戦略の立案については自ら考えるべきであるが、戦術の立案と実行については現場の担当者に権限委譲すべきである。戦術を担当者に委譲することで人材育成が可能となり、「知財戦略2・0」を実現することができる。

2 自社の経営理念とビジョンを明確にして、形にする

■理念なき経営はあり得ない

第１章でも触れましたが、ここで今一度、「経営理念とビジョンの重要性」についてお話ししたいと思います。

経営理念とは、その会社の存在意義や「会社がどうあるべきか」を明文化したものです。経営理念があることによって、会社は組織として社内一丸となって共通の目的に向かっていくことができるのです。

成長著しい会社や、社員が生き生きと働いている会社の社長室や工場には、必ず経営理念が貼り出されています。「理念」という共通の価値観があるがゆえに、組織として成長

することができ、社員が意欲を持って働くことができていると言えるでしょう。

もし、「うちには明文化した経営理念がない」という場合は、ぜひ作っていただきたいと思います。経営理念がなければ、社員はもちろん、社長自身も自社の向かうべき方向ばかりか、存在意義もわからないまま、目の前の仕事をこなすだけになってしまいます。

■自社の経営理念を形にしてみよう

経営理念の具体的な作り方についてご説明しましょう。

まずは自分が日ごろ仕事をする上で大切にしていることや、お客様に対してどのようなサービスを提供したいのかを書き出してみます。先代からよく言われたことなどでもいいでしょう。

経営理念は、なるべく普遍的でわかりやすく、社員に受け入れてもらえるものがベストです。

たとえば、この本の出版元である総合法令出版の経営理念は、「面白くて、やさしくて、ためになる本をつくる」だそうです。とても簡潔にまとまった、いい理念だと思います。

■経営理念を具現化するための「ビジョン」

理念が普遍的・抽象的な会社の存在意義であるのに対し、ビジョンはその理念を具現化するために、「将来、会社をこうしたい」というあるべき姿をはっきりと示すものです。

ここでいう「将来」とは、３年くらい先を想定するといいでしょう。ビジネスの変化スピードはどんどん加速しています。かつては「長期的」というと、５〜10年くらいの期間を差しましたが、今や3年先でも十分「長期的」と言える時代になりました。

■ビジョンがないとどうなるか

もし、ビジョンがなければ、社長は自分の仕事に信念を持てず、「今、この業界の金型が売れていないから、あっちの業界の金型にくら替えしようか」などと、周囲に流された仕事の仕方をすることになりかねません。

そんな社長の姿を見て、社員はどう思うでしょうか？「一体、うちの会社はどうなるん

■図表11　ビジョンとは

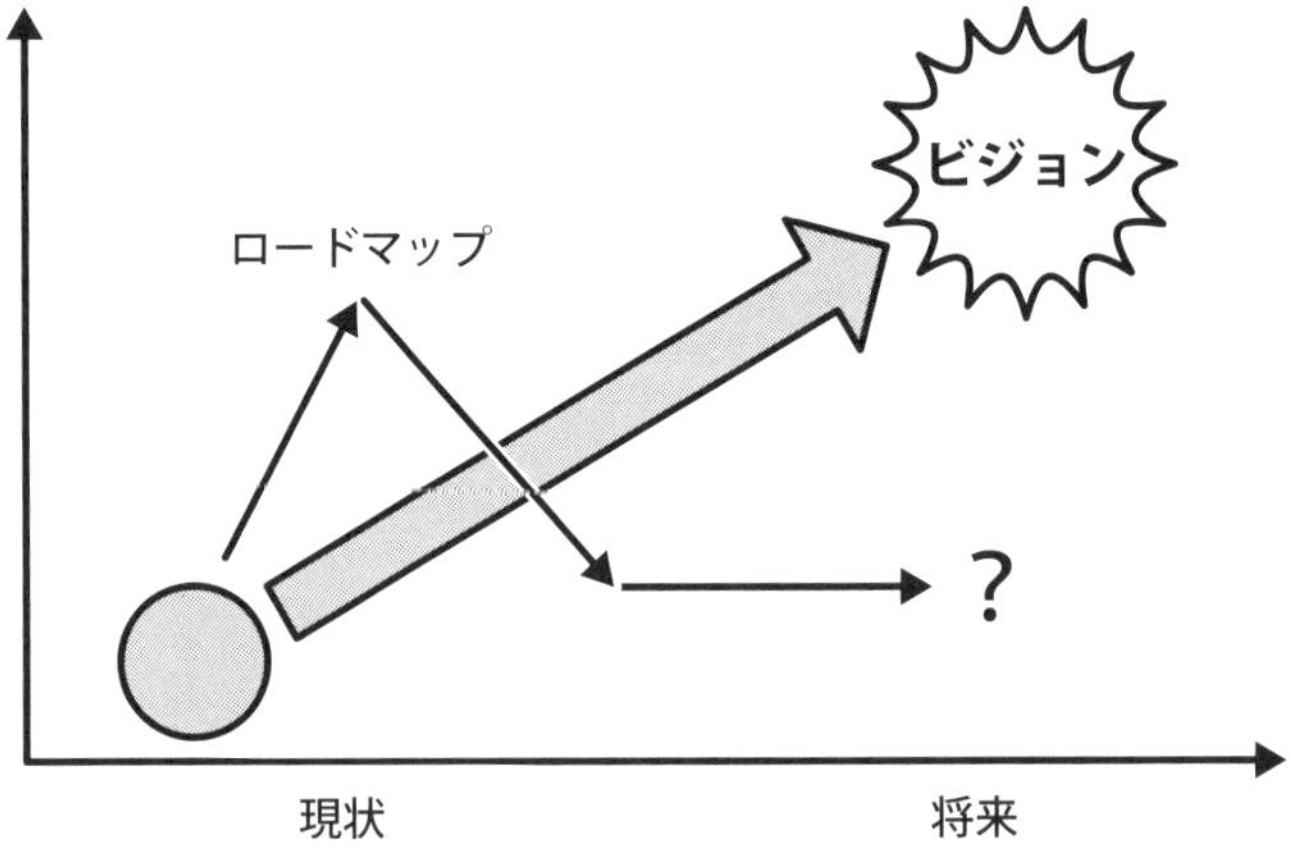

だろう？」と不安になることでしょう。すると現場の士気も上がらず、仕事へのモチベーションが低下していってしまいます（図表11）。

ビジョンは必ず社員にも共有するようにしましょう。

私がコンサルティングで関わっている会社の中には、毎年の年頭に社員に対し、「うちの会社は3年後にこうなっていたいから、そのために今年はこういうことをしていく」という説明を行っているところがあります。ビジョンを提示し、それを実現するための1年間の戦略を社員と共有しているのです。

このような会社には、社長の指揮の下、社員が一丸となって目標に向かって邁進していく姿が見られます。

やみくもに「売上を伸ばせ」と声を張り上げるだけでは、社員は動きません。全社員が心を合わせて日々の業務にあたれるような、具体的なビジョンを掲げることが大切です。ビジョンがはっきりしている会社では、「将来は、現状からこんなふうになっていきたい」という目標を社長とともに社員全員が理解しています。その目標に向かって進んでいくためには、どのようなルートをとればいいかを思い描くことができるのです。

ビジョンのないビジネスは、羅針盤を持たずに旅するようなものです。行きあたりばったりにならざるを得ません。いつのまにか樹海に迷い込んで脱け出せなくなり、最後は死に至ることも十分に考えられます。

POINT

社内の一体感を醸成するために、自社の経営理念とビジョンを明確にすることが不可欠である。経営理念は、自社の存在意義や大切な価値観を明文化したものであり、ビジョンは、その経営理念を具現化するために「将来こうなっていたい」という姿をはっきり示すものである。

3
ビジョンに「知財戦略」は必要かどうかを見極める

■ビジョンの実現に「知財戦略」が必要なわけではない

経営理念やビジョンを実現するための戦略の中の一つとして、知財の活用が必要かどうかを判断していきます。

これは、知的財産権を取得することにメリットがあるかどうかを判断するわけです。場合によってはメリットがないこともあり得ます。

これについては有名な話があります。今や日本はもちろん、世界中で親しまれているカラオケについての逸話です。

驚くべきことに、カラオケを発明した人は特許を取っていないのです。その理由は「カラオケを普及させて、より多くの人に楽しんでもらいたかったから」というものです。特許を取って自分が独占的な権利を有してしまったら、それはカラオケの普及の妨げになると考えたのです。

このように、ビジョンによっては、特許の取得ではなく、技術の開放戦略を取ったほうがいい場合もあります。

また、「こういう仕様でこういう金型を作ってほしい」という発注元からのオーダーどおりの製品づくりをして、それを納期どおりに納めるという従来型の仕事を今後も続けていくことに自信があるならば、やはり知財戦略は必要ないでしょう。

しかし、仮にニッチな市場であったとしても、「自社製品の価値をアピールして市場を独占したい」という考えを持っているのであれば、そこに知財戦略がないのはおかしいという話になります。独占して他社に対して参入障壁を作るのが、知財戦略の目的の一つだからです。

■知財戦略が必要と思われる類型

知財戦略が必要なケースについて考えてみましょう。

まず考えられるのは、「現在、自分の会社で持っている技術やノウハウを活かして、新しい製品を作ったり、サービスを提供したりしたい」というケースです。

また、「事業を多角化していきたい」というビジョンがあり、そのために他社から特許を買いたいとか、この事業はものになりそうだから特許を買いたい、といったケースもあります。

もちろん、「他社に真似されたくない」とか、「先行利益を確保したい」といった場合も、知財戦略が必要となるでしょう。

ここで、「知財とビジョンがマッチしているかどうか」を判別するマップをご紹介しましょう。

このマップは縦軸に市場占有率を、横軸に知財活用力を示しています（図表12）。

■図表12　知財とビジョンがマッチしているかどうかを示すマップ

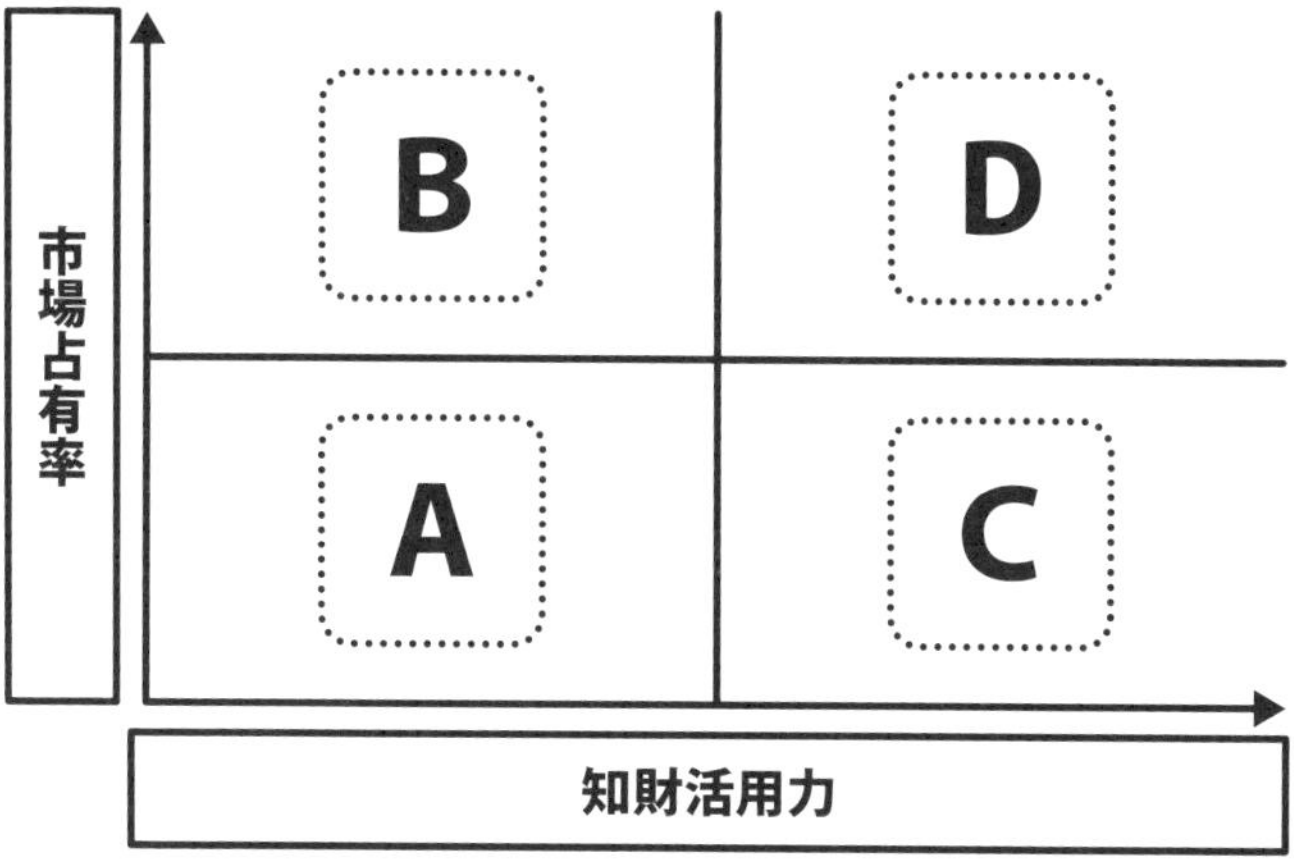

・A……市場占有率、知財活用力ともに低い……設立間もない研究開発型ベンチャー企業

・B……市場占有率は高いが、知財活用力は低い……知財活用力の高い会社の標的にされやすい

・C……市場占有率は低いが、知財活用力は高い……研究開発とライセンスに特化した企業

・D……市場占有率、知財活用力ともに高い……自社開発・自社販売で高いシェアを獲得している企業

このように4つのカテゴリーに分類した場合、知財を活用して成長を目指すのであれば、

Bの状態になっては絶対にいけません。市場での商品シェアは高いですが、特許を取っていないため自社を守る手段がありません。商品が売れれば売れるほどCやDから搾取される羽目に陥り、いずれつぶされる可能性が極めて高いです。Dが競合相手だとしたら、Dは必ずBをつぶしにかかるでしょう。

また、現状がAなら、CかDを目指すようにしましょう。

Dのように自社販売をすることが難しいのであれば、ライセンスに特化したCを目指すというやり方もあります。

POINT

ビジョンの実現に知財戦略が必要ということではないが、「市場を自社の製品で満たしたい」というビジョンを持っているのならば、知財戦略は必要である。「知財ビジョンマップ」を使って、自社のビジョンと知財戦略がマッチしているかどうかをチェックしてみよう。

4 知財戦略の投資効果を見極める

■知的財産における「投資」

限られた経営資源の中で、知財にいくら投資をするかを決めるのは重要な要素です。しかし、実はそこを考えていない社長が少なくありません。

特許事務所を使って特許出願を1件行うと、20万円以上のお金がかかります。中小企業にとっては大きな金額であり、もし知財投資をするのであれば、最初から予算を立てて行うべきでしょう。

私のクライアントのある会社では、社長がいいアイディアを思いついたということで、特許を出願することになりました。海外展開もしたいので国際特許も併せて出願し、無事、

■図表13　投資対効果の例

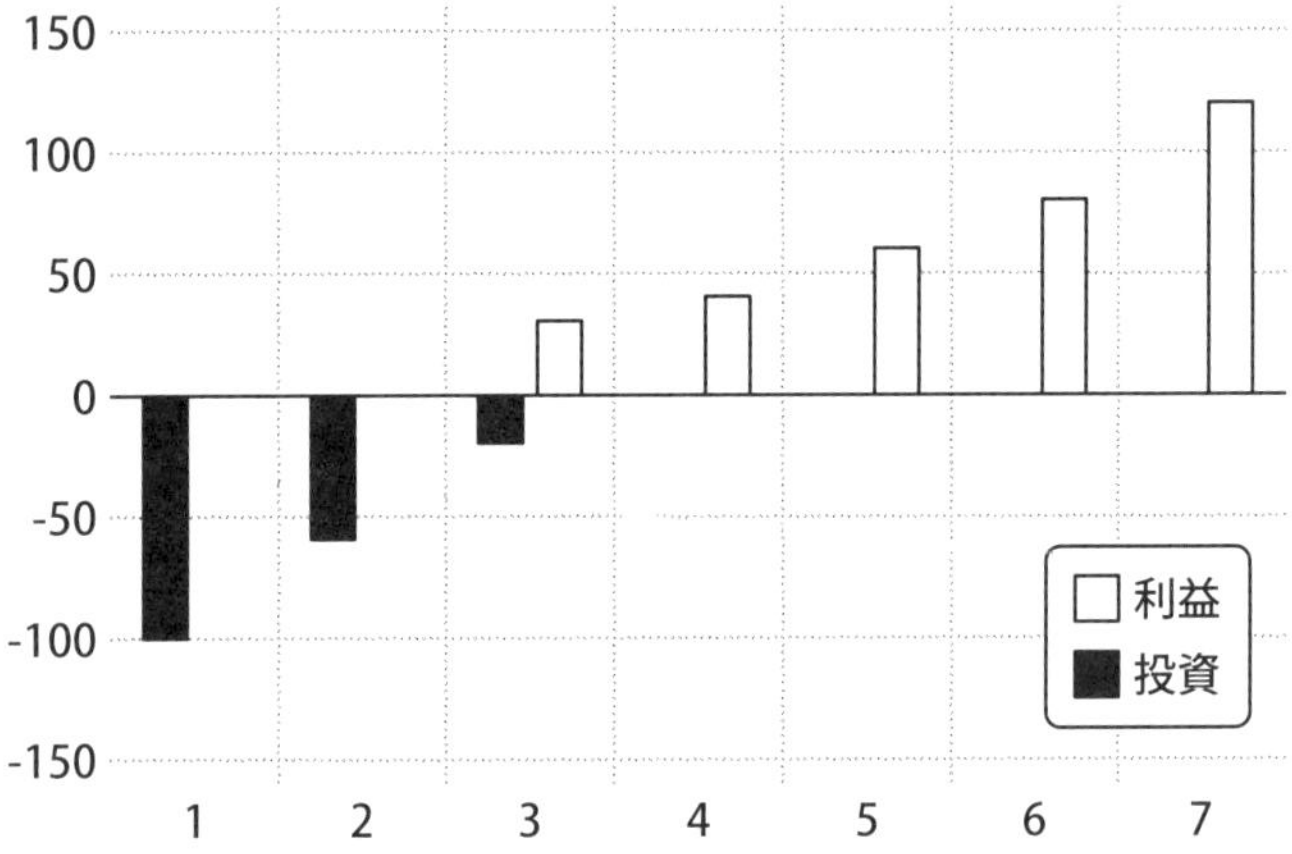

取得することができました。

ところが、特許取得後の維持コストを含めた収支については、社長も含めて社内の誰も興味がなく、ただ単に「特許を取っただけ」になってしまっていたのです。これではお金をかけて特許を取得・維持する意味がありません。

図表13は、特許の投資対効果を示したひとつの例です。

最初は投資しているだけなので、お金は出て行く一方ですが、商品の売上が伸びて利益が出てきたら、その効果として3年後には黒字になります。4年目以降費用は発生せず、売上と利益だけが増えていきます。

このように、投資効果のシミュレーション

をして、予算を立てるようにするといいでしょう。また予算は半年ごとに見直すことをおすすめします。

■「知財戦略」の投資対効果の見極め方

特許の維持にかかるコストは、基本的に毎年払う必要があります。

特許取得によって独占できる期間は、特許の取得からスタートし、特許出願から20年まで有効です。その間、特許の使用料は1年目から3年目はいくら、4年目から6年目まではいくら、というふうに決められています。「基本料金＋請求項（権利範囲を定める項目）の数」が1年間の維持コストとなります。

毎年、特許にかけた投資とその効果（たとえば、その特許実施品の売上高と利益）を比較するようにします。

その結果、利益が投資を上回れば、投資は回収できたことになります。

しかし、たとえば5年経ってもまだ商品が売れなくて、特許料だけがかかり続けているということになったら見直さなくてはならないでしょう。

予実管理と併せて、投資対効果のチェックは定期的に行うようにしましょう。

POINT

特許は、取得する際にそれなりのコストがかかるので、予実管理しておくことが必要である。また、特許は維持するにもコストが発生する。特許を取得したら、そこで満足して放置するというようなことがないよう、投資対効果シミュレーションを行って、推移を見守る。

5 知財戦略とマーケティング戦略は、一体で考えなくてはならない

■売れて、儲かってこその知財戦略

「自社の製品やサービスの事業化ビジョン実現のために知財戦略が必要」と考えた場合、出口は「製品・サービスが売れて儲かること」となるため、マーケティングも併せて考えていくことになります。

特許を持っているだけで満足してしまう「たこつぼ状態」では、まったく意味がありません。専門性が高まることの弊害として、「たこつぼ化してしまう」という表現がよく使われます。これは「たこつぼ」という狭い領域にこだわり、全体を見渡すことができなくなった状態のことを指しますが、特許を取ることだけで満足し、それを活用して会社を成

います。

長させるという視点がなければ、「たこつぼに入っている」のと同じ状態になってしまい

実は私もかつてその一人でした。大手企業の知財部で仕事をしていたとき、「どんな内容の特許を、いつ、いくらで出すか」ということにだけに頭の中が集中してしまい、営業やマーケティングとセットで考えたことがなかったのです。

その後、部門長になって、社長から「マーケティングに活かせる知財戦略を考えるように」と言われたとき、はじめて自分自身もたこつぼになりかけていたことに気づいたのです。

知財戦略だけが独り歩きしても、それがマーケティング戦略とセットでなければ何の意味もありません（図表14）。

一例を挙げましょう。

たとえば、自社製品の海外販売で売上を高めていきたいと考えた場合、営業部門であれば、「海外に販売拠点を置き、現地で社員を雇うことや商品の展示や販売をどうするか」という戦略を考えるでしょう。

では、知財部ではどのようなサポートをするかというと、まずは製品が模倣された場合

■図表14　知財は営業やマーケティングなどとセットで考える

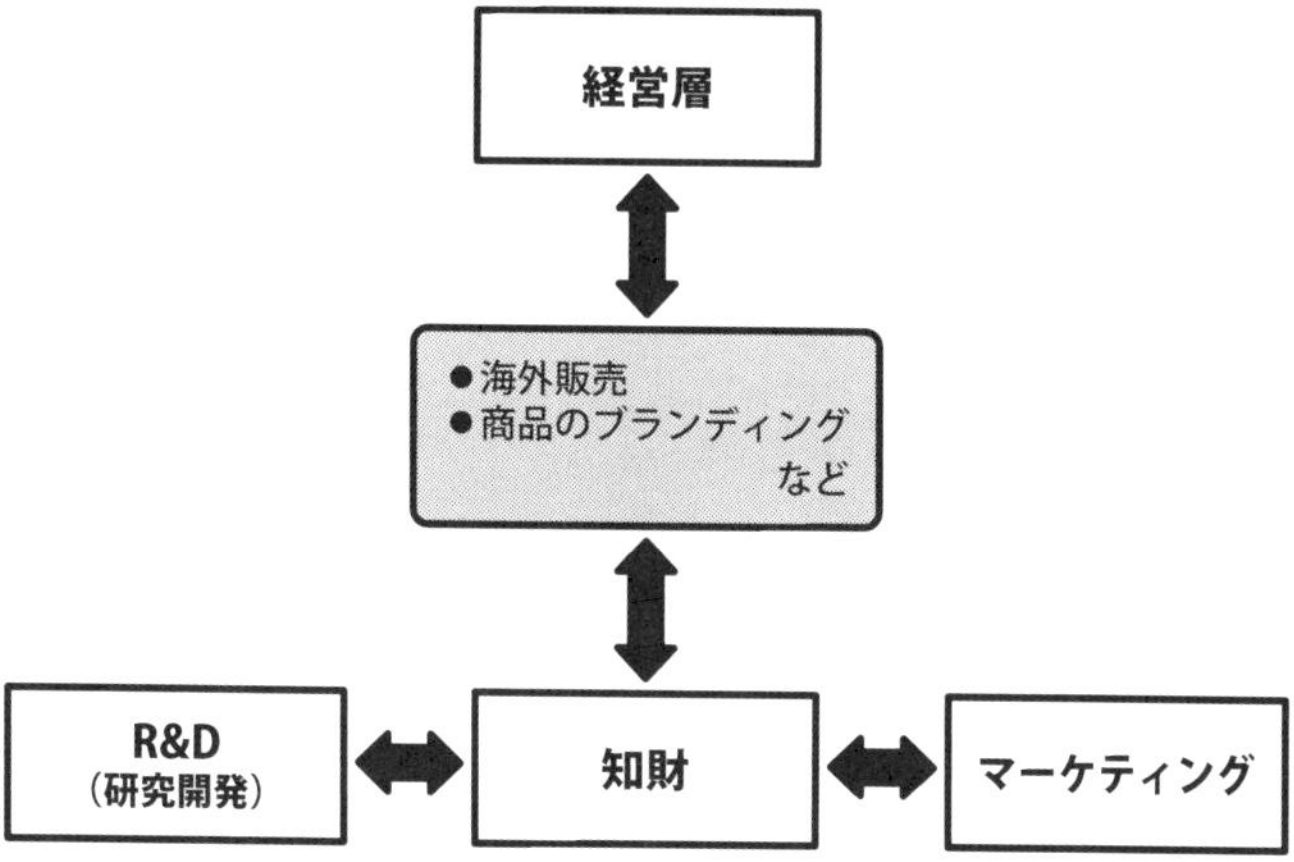

のことを考えます。特に中国などの新興国では模倣される可能性が高いので、メインとなる商品についてはそれらの国でも特許や商標を取っておくようにします。

あるいは模倣する企業が現れたとき、誰が担当して、お金をいくらかけて、どの権利を対象とするかを決めておきます。実際に模倣が起きたら現地に人を派遣して、模倣した企業を摘発することを決めておきます。

また、他社の牽制のために特許出願だけをしておくというのも、マーケティング戦略の1つです。特許出願中はそれが最終的に特許になるかならないかわからない状態が続くので、競合先は警戒するでしょう。

よくCMや広告などで「特許出願中」など

の文言が使われている場合がありますが、それには他社牽制の意味があるのです。中小企業にとっては自社の技術をアピールすることにもなるため、「特許取得の可能性は低くても出願しておく」というのは一つの戦略になるでしょう。

ブランドを周知させるためにロゴを決めて商標登録し、ある商品群に共通のネーミングをつけるのも、大手企業を中心によく採られる戦略です。さまざまな営業ツールを駆使してロゴを周知させていきます。

■知財戦略と親和性が高い「ブランド戦略」

知財戦略とブランド戦略をうまく絡めることができれば、企業価値をぐっと上げることができます。それくらい、知財戦略とブランド戦略は親和性が高いのです。

すぐに思いつくのは、商品名やサービスのネーミングです。これは、商標の活用と結びつきます。

また、商品のデザインも、それを好んで買うお客様に対して、ブランド向上につながります。これは意匠を活用し、グッドデザイン賞を受賞するなどでデザイン力のアピールに

より ブランド力は高まるため、意匠との親和性が高いです。

ブランド力を高めていくには、知的財産の活用を盛り込んでいくことが不可欠となります。

その意味でも、先に示した図表14のように、経営層の全体戦略に従い、開発戦略、知財戦略、マーケティング戦略が連動して具体的なネーミング・デザイン・技術を創出し、それらを知財化し活用するということを行っていく必要があります。

POINT

ビジョン実現のために知財戦略を必要とする場合、同時にマーケティン戦略やブランディング戦略のことも考慮して、マーケティング部門とも連携していくことが求められる。知財のことしか考えないという、たこつぼ状態に陥らないよう、くれぐれも注意すべきである。

COLUMN

事業計画書について

中小企業で事業計画書を作っている会社はそう多くありません。

しかし、私はぜひ作っていただきたいと思っています。

事業計画書は銀行から融資を引き出す材料になりますし、対外的にアピールする材料として使うこともできます。「今後、うちの会社ではこんな事業計画を考えている」ということを明らかにすることで、社員のモチベーションアップにつながります。また、行政に各種補助金を申請する際も事業計画書の提出が求められます。

事業計画書は、その目的や提出先によって、様々なひな型がありますが、日本政策金融公庫のホームページには、事業計画書のひな型のフォーマットが掲載されていて、自由に使うことができます（https://www.jfc.go.jp/n/service/dl_kokumin.html）。ぜひ活用してみてください。

第3章

活用できる知財を創出する
～「知財戦略2.0」に必要な武器

1 自社の強みを洗い出すことが「知財戦略2・0」の第一歩

当たり前だと思っているところにこそ、「強み」あり

この章では、「知財戦略2・0」に使える知財をどのように創り出すかについてお話ししたいと思います。

「使える知財を創る」ということとは、自社がビジネス社会で戦っていくための武器を創出することに他なりません。武器とはすなわち、「自分たちの強みを知財化する」ということです。

そのためには、「自分の会社のどこが強いのか」を改めて認識しなければなりません。ところが、これが意外と難しいのです。

なぜなら、第三者の目からみると、「その会社の毎日の仕事において行われていることの中にこそ強みが存在する」と思えるにもかかわらず、その会社で働く人々にとっては〝当たり前〟になりすぎているため、それを強みとは認識できていないことが多いからです。

たとえば、金型を作るある会社では、お客様のオーダーに応じて旋盤や機械を動かしてオーダーどおりのものを作っています。オーダーの中には高精度の加工が求められるものがあり、その場合は、マシニングセンタや放電加工機などの精密加工機械を使うことが要求されます。

第三者からすれば、そのような特別な機械を使ってオーダーどおりのものを削り出すノウハウそのものが、その会社が独自に持っている強みであり、資産だといえます。

ところが、会社の中にいる人たちにはそれがわからないのです。自分たちが日常的にやっていることが、それほど価値があるものだと気づいていません。

■自社の「強み」はどうやって洗い出す？

では、自社の「強み」を洗い出すにはどうすればいいのでしょうか。

先ほどから触れているように、自分たちにとって当たり前になっていることの中に強みがある場合が多いので、「〝第三者の目〟を通して知る」という方法を取るといいでしょう。

考えられる方法としては、2つあります。1つは自社のお客様に聞いてみること、もう1つが第三者のコンサルタントを活用することです。

まず1つ目です。お客様に「なぜ、うちを使ってくださっているのですか？」と尋ねてみてください。「おたくに頼むと、納期どおりにきちんといいものを納品してくれるから」とか、「担当の○○さんがすごく親身になって相談に応じてくれるから」など、様々な理由が出てくることでしょう。実はそれが、自分たちでは気づいていない会社の強みだったりするのです。

もう1つは、第三者のコンサルタントを活用する方法です。コンサルタントとは、企業が持つ課題の相談に乗り、その課題を解決するための専門的なノウハウやアイディアを提供する専門家のことを言います。

インターネットなどで探すのもいいですし、自社の存在する地域の商工会議所や独立行政法人中小企業基盤整備機構など国の機関の支部などで紹介してもらうこともできます。

とはいえ、どんなコンサルタントでも依頼すれば必ず力になってくれるというわけではありません。コンサルタントによって専門領域は異なるため、自社の課題の領域に詳しいコンサルタントを選ぶことが大切になります。コンサルタントの過去の経歴をよく調べるようにしてください。

自社の業務と同じ領域の勤務経験があり、現場を知り尽くしているというコンサルタントを探し出せれば、強力な助っ人となってくれることでしょう。

私は、弁理士のほかに、中小企業診断士の資格を持っています。前述の中小企業基盤整備機構の各支部には、私のように中小企業診断士の資格を持っている人々が登録し、紹介を受けてコンサルティングに当たっています。

私は、製造業でものづくりに携わっていた経験がありますし、加えて弁理士の資格を持ち、特許申請の実務経験が豊富なことから、製造業のコンサルティングを紹介されることが多いです。

また、クライアントから「ある会社の社長が、サービス業に詳しいコンサルタントを探しているのですが、どなたか心当たりはありませんか?」などと尋ねられることもしばしばです。そんなときはサービス業出身の中小企業診断士を紹介します。

このようにコンサルタント同士で横のつながりがあり、それぞれ自分の得意分野を持っているので、すでにコンサルタントを活用している社長仲間に紹介してもらうのもいいかもしれません。コンサルタント同士が知り合いであれば、相手の経歴がよくわかっているので、求めているコンサルタントを紹介してもらえる確率が高くなります。

■強みを洗い出すツール　その1「ローカルベンチマーク」

では、自社の強みをどうすれば洗い出すことができるのでしょうか。

インターネット上から無料で利用できる強み発掘ツールを2種類ご紹介しましょう。

まず1つ目が、経済産業省のホームページから入手することのできる「ローカルベンチマーク」というツールです。

ローカルベンチマークとは、企業の経営状態、すなわち会社の「健康診断」を行うためのツールで、事業性評価の入り口として活用されています。
たとえば、図表15のローカルベンチマーク（1）では、

①売上高増加率（売上持続性）
②営業利益率（収益性）
③労働生産性（生産性）
④EBITDA有利子負債倍率（健全性）
⑤営業運転資本回転期間（効率性）
⑥自己資本比率

の6項目からなる「財務情報」と、

①経営者への着目
②関係者への着目
③事業への着目

財務分析結果

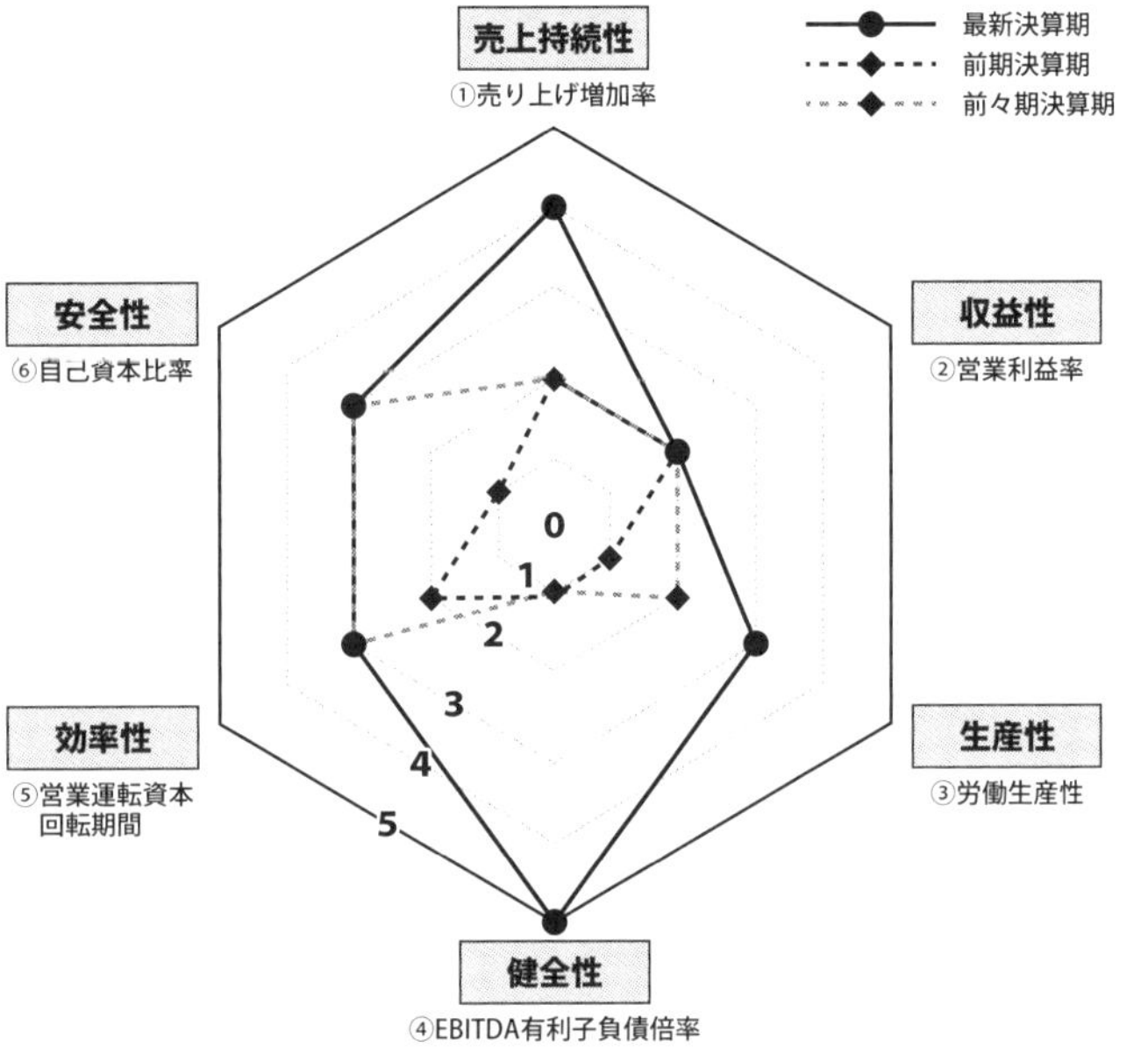

※総合評価点のランクはA：24点以上、B：18点以上24点未満、C：12点以上18点未満、D：12点未満

2015年3月		
算出結果	貴社点数	業種基準値
-1.2%	2	2.9%
0.0%	2	1.9%
0(千円)	2	774(千円)
—	1	6.6(倍)
1.1(ケ月)	3	0.9(ケ月)
24.2%	3	28.2%

総合評価点	13	C

※1：各項目の評点および総合評価点は各項目の業種基準値からの乖離を示すものであり、点数の高低が必ずしも企業の評価を示すものではありません。非財務指標も含め、総合的な判断が必要なことにご留意ください。

※2：レーダーチャートで3期分の財務分析結果の推移が確認できるため、各指標が良化(あるいは悪化)した要因を非財務の対話シートを活用しながら把握することで、経営状況や課題の把握に繋がります。

■図表15　ローカルベンチマーク(1)

■基本情報

商号	株式会社〇〇

所在地	東京都〇〇
代表者名	〇〇　〇〇
業種_大分類	14_その他
業種_小分類	1400_その他業種
事業規模	中規模事業者

売上高	5,130,250(千円)
営業利益	15,000(千円)
従業員数	30(人)

■財務指標(最新期)

指標	2017年3月		
	算出結果	貴社点数	業種基準値
①売上増加率	7.8%	4	2.9%
②営業利益率	0.3%	2	1.9%
③労働生産性	500(千円)	3	774(千円)
④EBITDA有利子負債倍率	-0.1(倍)	5	6.6(倍)
⑤営業運転資本回転期間	0.8(ケ月)	3	0.9(ケ月)
⑥自己資本比率	35.4%	3	28.2%

総合評価点	20	B

■財務指標(過去2期)

指標	2016年3月		
	算出結果	貴社点数	業種基準値
①売上増加率	-2.4%	2	2.9%
②営業利益率	-0.3%	2	1.9%
③労働生産性	-393(千円)	1	774(千円)
④EBITDA有利子負債倍率	61.2(倍)	1	6.6(倍)
⑤営業運転資本回転期間	2.8(ケ月)	2	0.9(ケ月)
⑥自己資本比率	2.1%	1	28.2%

総合評価点	9	D

出所:経済産業省ホームページ

④ 内部管理体制への着目

の4項目からなる「非財務情報」に関する各データを入力することによって、企業の経営状態を把握することができます。

このローカルベンチマーク（1）で特徴的なのは、「非財務情報」の項目が盛り込まれている点でしょう。

金融機関などでは、決算書から読み取ることができる「お金」という観点だけから、その会社がいい会社かどうかを判断しがちです。

しかし、実際には、決算書には表れない「隠れた強み」というものがあるはずです。このローカルベンチマークでは、数字には表れない隠れた強みを把握するのに役立つツールなのです。

さらに図表16のローカルベンチマーク（2）では、業務の流れや商流を書き出し、その工程の一つひとつについて、他社がやっていないこと、差別化になりそうなことをあぶり出していきます。

たとえば、業務の流れの1つに設計があったとしましょう。他社ではあまり使われていない三次元ＣＡＤソフトを使っているとか、その設計に40年以上携わっている大ベテランの社員がいるなどが「自社の強み」となります。

商流のところでは、「どこからものを仕入れて、どのような工程で加工を行っているか」「外注先はどこか」などを書き出していきます。そこから「自分たちの会社で作ったものをどこに売るのか」「その売った先のエンドユーザーはどこになるのか」といった流れを記入します。

売上が伸びている会社であれば、ローカルベンチマーク（２）の「差別化ポイント」や「選ばれている理由」に何かしら書けることがあるはずです。それが自社の「強み」となります。

■強みを洗い出すツール　その２「経営デザインシート」

２つめの強みを洗い出すツールが、内閣府が提供する「経営デザインシート」です（図表17）。

これは

商号	株式会社○○
売上高	5,130,250（千円）
営業利益	15,000（千円）
従業員数	30（人）

業務④ デザイン

■実施内容
ラベル等のデザインから、売場用のPOP含め内製化している。

■差別化ポイント
自社でデザイン〜POP作成まで可能な食品メーカーは稀であり、小回りのきいた対応が可能。

業務⑤ 販売

■実施内容
実施内容直販の販路開拓は途上であり、問屋が中心となっている。

■差別化ポイント
問屋経由ながら、高級スーパーや、県内の空港への販路を確立している。

提供内容／顧客提供価値

■製品・商品・サービスの内容
地元食材○○を使用した、ラーメンセット等の食品。現在の商品数は○○種類。

■どのような価値を提供しているか
「地元の名産品を全国区」がコンセプト。一定の顧客からブランド認知されリピート率高い。

得意先

■属性（消費者・企業等）
※社名・取引金額・内容等
食品卸E社　シェア○%
食品卸F社　シェア○%

■選ばれている理由
当社商品を全国の販売店に紹介してくれている。現在、直販ルートの構築を検討中。

エンドユーザー

■属性（消費者・企業等）
※社名・取引金額・内容等
大手スーパーG社
県内空港H社

■選ばれている理由
問屋経由のため、エンドユーザーの意見を吸い上げる場面が少ないことが課題。

■図表16　ローカルベンチマーク(2)　※記入例

〈製品製造、サービス提供における業務フローと差別化ポイント〉

業務① 商品企画

■実施内容
「地元食材を使った商品」をテーマに商品企画。ブランドの統一感を意識。

■差別化ポイント
地元食材○○を使用した食品開発をしている事業者は県内で当社のみ。

→

業務② 商品開発

■実施内容
社長、役員だけでなく、社員も試食に参加し、幅広い意見を収集。

■差別化ポイント
毎月の試作品数は○○件に及び、開発アイディアが豊富である。

→

業務③ 製造

■実施内容
自社工場と外注先を活用。(製麺・顆粒だし製造は外注先)

■差別化ポイント
自社工場には大手食品メーカー出身者が2名おり、積極的な改善提案がある。

〈商流把握〉

仕入先

■社名・取引金額・内容等
○食材
卸売A社　シェア○%
卸売B社　シェア○%
契約農家　シェア○%

■選定理由
安定して高い品質を保てている先を確保。

→ 当社

協力先

■社名・取引金額・内容等
○製麺業者
D社○○円／月
○顆粒だし製造業者
E社○○円／月

■選定理由
社長自ら、味を確認し選定している。当社の要望をすぐ反映してくれる先である。

→ 当社

当社

出所：経済産業省ホームページ

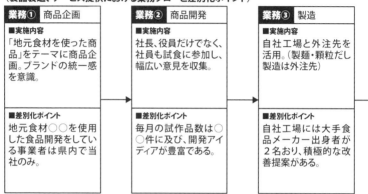

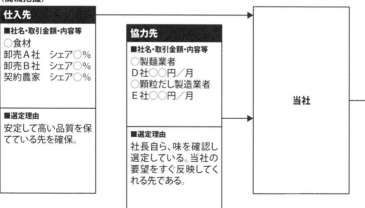

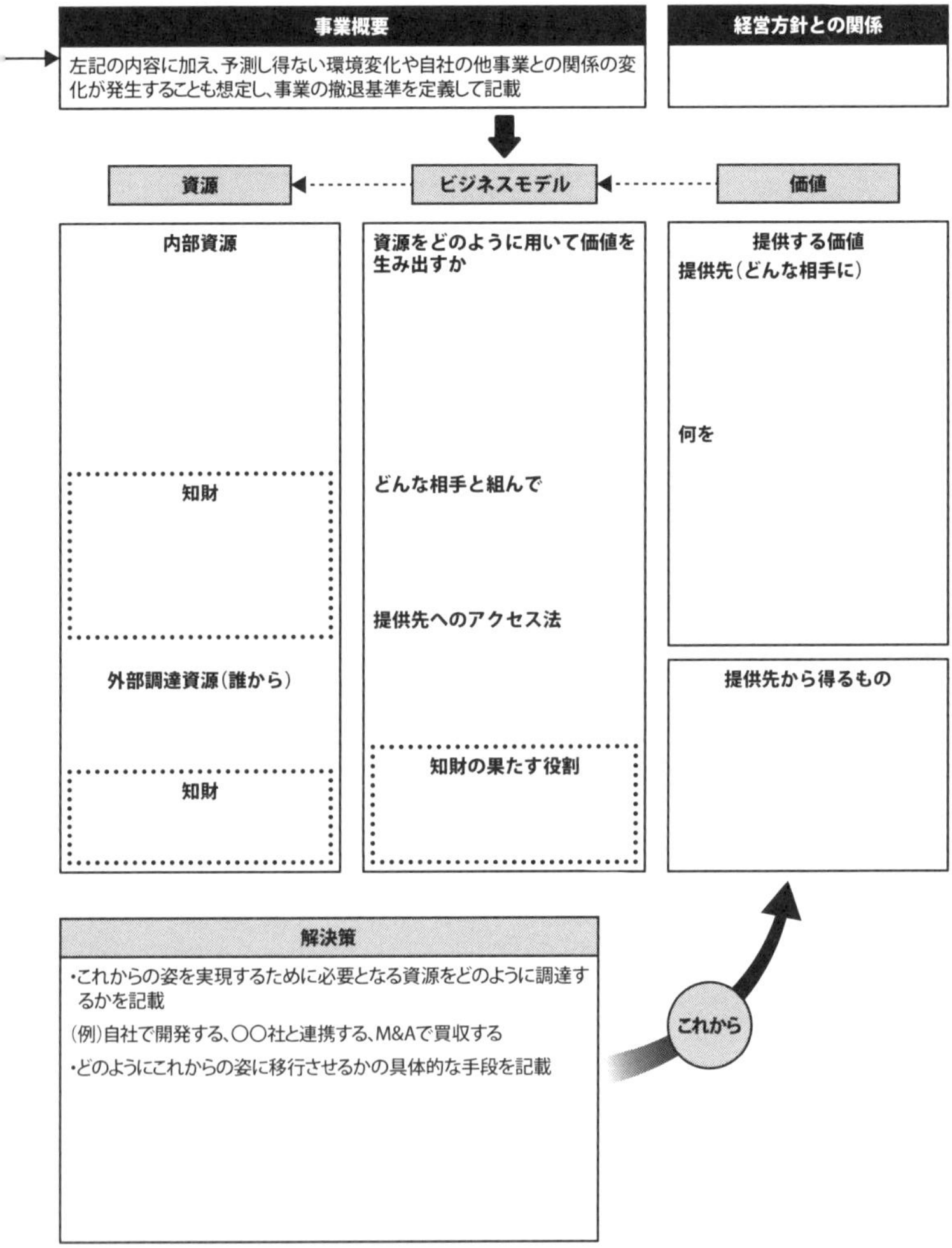
事業概要
左記の内容に加え、予測し得ない環境変化や自社の他事業との関係の変化が発生することも想定し、事業の撤退基準を定義して記載
経営方針との関係
資源
ビジネスモデル
価値
内部資源
知財
外部調達資源（誰から）
知財
資源をどのように用いて価値を生み出すか
どんな相手と組んで
提供先へのアクセス法
知財の果たす役割
提供する価値
提供先（どんな相手に）
何を
提供先から得るもの
解決策
・これからの姿を実現するために必要となる資源をどのように調達するかを記載
（例）自社で開発する、〇〇社と連携する、M&Aで買収する
・どのようにこれからの姿に移行させるかの具体的な手段を記載
これから

■図表17　経営デザインシート

事業概要
事業のビジョン、事業コンセプト、事業が解決しようとする社会的課題、事業目標、KPI等を記載
経営方針との関係
事業が経営に対して果たす意義、コミットする内容等を記載
資源
ビジネスモデル
価値
内部資源
事業において重要な資源を記載
(例)○○に訴求するデザインが得意なデザイナー、精度の高い加工が可能な生産設備、販売ネットワーク
知財
(例)○○技術の特許・ノウハウ、△△商標(ブランド)
外部調達資源(誰から)
(例)○○社の△△の販路
知財
(例)××社のブランド力、技術ノウハウ
資源をどのように用いて価値を生み出してきたか
(例)「別事業Bで収集した△△データを活用してアプリで○○サービスを提供し、使用料を取る」「若い女性向けのかわいいデザインにより商品価値を高め、意匠権取得により模倣を防止しつつ、C社にOEM生産させて価格競争力を高める」
誰と組んで
提供先へのアクセス法
知財の果たしてきた役割
(例)他社との連携の促進、競争優位性の確保
提供してきた価値
提供先(誰に)
何を
事業を通じて社会や顧客に提供してきた価値を記載
(例)安心・安全、便利で快適な暮らし、ブランドを使用する満足感
提供先から得てきたもの
事業を通じて社会や顧客から得てきたものを記載
(例)社会的信用、○○のデータ
これまでの外部環境
＋要素
自社を取り巻く環境のうち、収益の仕組みに影響を与えるものだが自社の力では変えるのが困難な事柄を記載(政治、経済、社会、技術等)
市場状況
市場における成功要因、自社や競合の位置づけを記載
事業課題(弱み)
事業の成功を阻害している事項、現在の課題等を記載
これまで
「これから」の姿への移行のための戦略
これからの外部環境
＋要素
－要素
将来の環境変化を予測して記載
市場状況
市場における成功要因、自社や競合の位置づけを記載
移行のための課題
これからの姿に移行するにあたって生じる課題を記載
(例)販路が変わるため販路開拓が必要、市場分析が必要、必要な資源を保有していない
必要な資源
これからの姿を実現するために必要となる資源について記載
知財

出所：内閣府ホームページ

・現在持っている資産
・それを使ってどんなビジネスを行っているか
・将来どんなことをやっていきたいか
・それをするにあたって足りない資産、使うべき資産は何か

というように、現状と将来の両方を見るためのツールです。

ローカルベンチマークと経営デザインシートの両方を使って、自社の強みを洗い出せるのが理想ですが、両方を同時に行うのは難しいかもしれません。

その場合、まずはローカルベンチマークを優先して行うようにしてください。

■SWOT分析

自社の強みがわかったら、次に外部環境や競合も含めて、自社の強みが活かせるのはどこなのかを整理していきます。

このとき使いやすいのが、SWOT（スウォット）分析というフレームワークです（図

■図表18　SWOT分析のフォーマットと分析例

	プラス面	マイナス面
内部環境	強み Strength	弱み Weakness
外部環境	機会 Opportunity	脅威 Threat

	プラス面	マイナス面
内部環境	強み Strength	弱み Weakness
	●社長の経験と知識に由来するアイデアが豊富 ●社長の知財意識が高い ●当社製品を保護する特許を２件保有している ●表彰や資金調達など、外部資源を積極的に活用している	●今後進出すべき市場の絞り込みと分析が不十分である ●知財管理体制がない ●周辺特許を保有していない ●営業体制の構築が不十分である
外部環境	機会 Opportunity	脅威 Threat
	●センサにおける国内市場および海外市場が拡大傾向にある ●農業分野における自動化（６次産業化）が進んでいる ●知的財産に関する支援制度が充実しつつある	●大手企業の販売力、ブランド力が強い ●他社がAI、IoTとの組み合わせにより、さらに低消費電力や利便性の需要が高まる可能性がある ●ノウハウ漏洩や模倣の恐れがある。特に中国は要注意である。

出典：一般社団法人知財経営ネットワーク

表18)。

SWOTとは、S＝Strength(強み)、W＝Weakness(弱み)、O＝Opportunity(機会)、T＝Threat(脅威)の頭文字を取ったものです。

S(強み)とW(弱み)が自社でコントロール可能な内部要因であるのに対し、O(機会)とT(脅威)は政治動向や規制、経済・景気、ユーザーのニーズ変化など、自社の努力では変えることのできない外部要因となります。

内部環境のS(強み)とW(弱み)は、実は相対的なものでもあります。これから進出しようとする事業領域やそこで競争する相手によっては、それまで自社の強みと思っていたものが弱みになったり、逆に自社の弱みと認識していたものが強みとなったりする場合もあるからです。

たとえば、私がコンサルタントをしているA社の例をご紹介しましょう。

A社は、金型や樹脂成型の優れた加工技術を持つ会社ですが、新商品の開発にあたり真空装置を作ることが必要になりました。ところが、A社単独では真空装置を作ることができず、A社のメインバンクから私に「どこか真空装置に詳しい方をご紹介いただけませんか」と相談があったのです。

私は、自分自身も技術者だったので、心当たりがありました。早速ご紹介したところ、双方のニーズがマッチし、真空技術の指導を受けながら、その事業を協業で行うことになりました。

このように、強みとして持っていなくても、そこを補ってくれる何かを投入することによって強みに変えることができるのです。

POINT

自社の強みとは、自分ではなかなか気がつかないことが多い。その場合は取引先や第三者を通じて強みを洗い出すことができる。強みを洗い出すためのツールとして、経済産業省の「ローカルベンチマーク」や内閣府の「経営デザインシート」、SWOT分析などがある。

2

自社の強みを活かせる領域はどこにあるかを探索する

世の中の「お困りごと」がキーワード

前項の最後で紹介したSWOT分析は、やる価値のあるフレームワークですが、そのための前提があります。それは「どの領域に進むのか」がはっきりしているということです。その領域とは、「自社の強みの延長戦上にある領域」ということになるでしょう。

先ほどご紹介したA社も、もともと「精密加工が得意」という強みがあり、そこをさらに伸ばしていくために、新たに真空技術の導入が必要になったという経緯があります。

ですから、まずは自社の強みに関連した領域を選んでいくようにします。対象領域に関する世の中の動きや、「将来、これくらい市場が伸びそうだ」とか、逆に「縮小しそうだ」ということを見極めていく必要があります。

そのときに求められるのは「魚の目」です。魚は川に沿って泳ぎます。つまり、時代の流れを見ながら進むということです。

鳥の目といえば、空を飛んで上空から俯瞰《ふかん》するドローンのような目になるでしょうし、虫の目であれば、「細かいところがどうなっているのか」をミクロ的に見る目になるでしょう。

ビジネスには鳥の目も虫の目も必要です。しかし、最も重要なのは魚の目なのではないかと私は思うのです。

事業とは、世の中で役に立つことで、ビジネスとして成立します。世の中に役に立つものとはすなわち、「世の中のお困りごとを解決するもの」に他なりません。

世の中の役に立ちそうなものを作ってみたけれども、値段が高すぎて売れないのでは、お困りごとの解決にはなりませんし、そもそもそんなものは必要とされていないということです。

世の中にどんなお困りごとがあるのか。そのお困りごとの解決に、自社の強みを持つ領域は関連しているのか。そこを探っていくことが大切なのです。

■領域探索の手法　特許情報から

自社が進むべき領域を調べる場合、前述した特許庁が公開している特許情報「J-PlatPat®」が役に立ちます。

たとえば、自社が強みとしている領域の、ある技術に関する特許を同サイトで検索すると、「どういう会社が、どういう技術で、特許を出しているか」を調べることができるのです。

図表19は、ある技術に関して、出願件数が多い上位20社を調べた結果の例です。気になる会社があったら、中身を具体的に見ていくことも可能です。

公開されている特許の明細には、

・属する技術分野がどこか
・従来、その技術分野においてどのような技術があったか
・従来の技術の中味と、未解決だった問題

図表19　特許検索の例

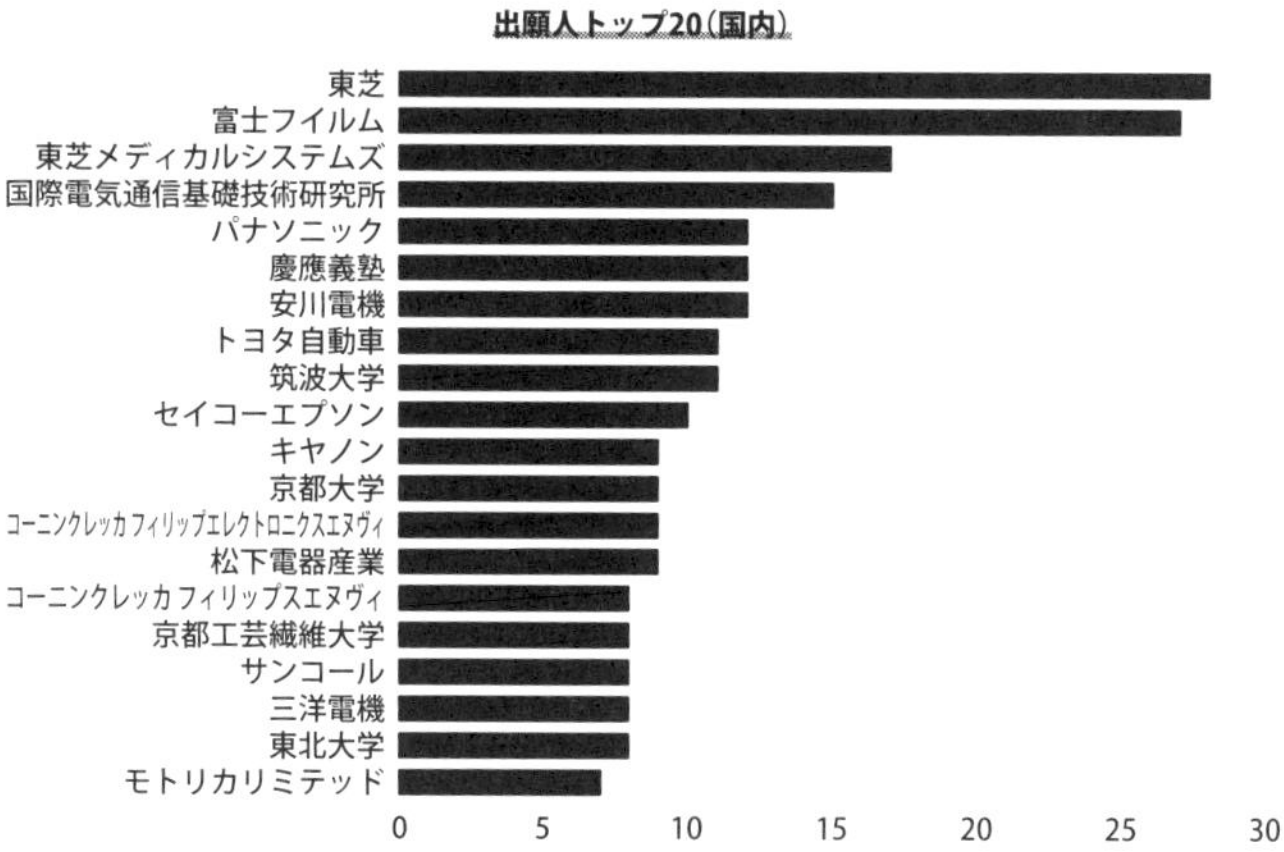

・今回、どのような技術でその未解決の問題を解決できるか

といったことが具体的に書かれています。これが大きなヒントになるのです。

まずは「自社が持っている技術との組み合わせ」という観点で考えてみます。すでに公開されている特許と自社の技術の掛け合わせで、未解決の問題を解決できるかどうかを検討するわけです。

公開された特許は、技術文献の宝庫であり、無料で入手できるビジネスのヒントとも言えます。銀行なども、中小企業向けのパンフレットに「ビジネスヒントを得るために、特許庁の無料サイトを使いましょう」などと謳っています。

どこに営業に行けばいいかを調べる際にも役立ちますので、ぜひ活用してください。

■重要なのは「＋α（プラスアルファ）」

自社が勝負すべき領域がある程度わかり、世の中のお困りごとがはっきりしてきても、それだけではまだ実際の勝負に出ることはできません。

今まで自社が持っている技術に、何かもう一工夫凝らすことが必要な場合がほとんどです。

自分たちが持っている技術だけではお困りごとを解決することは、そう簡単にはできません。それをどのように克服していくかを策定するのが知財戦略につながります。

先ほどご紹介した経営デザインシートにも「これからどんな資産が必要か」という項目がありましたが、まさにその部分が「＋α」の領域です。

「今までにないものを付け加えて、実現可能なものにしていく」ということが大切なのです。

たとえば、先ほど例で示した精密加工を得意とするA社では、精密加工技術が元々保有している「強み」で、新たに導入した真空技術が「＋α」の領域と言えるでしょう。この真空技術を新たな強みとし、新規製品を開発し、特許を取得することが必要となってきます。

POINT

ビジネスが世の中の「お困りごと」を解決することで成立するものである以上、自社の進むべき領域を探る際に不可欠なのは、それら「お困りごと」に対して、自社の持つ強みを活かせるかどうかという視点である。そのほか、「＋α」の価値を提供することも重要な視点である。

3

「自社の強み」と「強みを活かせる領域」に合致した、製品・サービスのアイディアを考える

■顧客のニーズは、製品やサービスで具現化する

自社の強みとその強みを活かせる領域がわかったら、世の中の「お困りごと」を解決できる製品やサービスはどのようなものなのかについて、具体的にアイディアを抽出する段階に入っていきます。

実はお客様が求めているのは、商品そのものではありません。

たとえば、マーケティングの世界で偉大な足跡を残したセオドア・レビット（ハーバード大学教授）の有名な言葉に、「ドリルを買う人がほしいのは〝穴〟である」というものがあります。

人はなぜドリルを求めるのでしょうか？

もちろん「穴を開けたいから」です。ドリルそのものが欲しいわけではなく、「楽に穴を開けられる」という価値が欲しいからドリルを買うわけです。

つまり、製品やサービスとは、本質的には「顧客に何らかの価値を提供するもの」だということです。

逆に言えば、価値を具現化したものが製品やサービスということになります。

■社内の知識、知恵を集結し出し合う

中小企業でありがちなのが、ワンマン社長が「俺がよいと思うんだからこれでいいんだ。これでいけ」というパターンです。社長が一人ですべて決めてやってしまおうとするのです。

しかし、これは間違っていると思います。社長が全部一人で決め、自分だけの思いで突っ走るのは危険でもあるし、実質的に不可能でもあります。また、価値観が多様化した現代の消費者のニーズは、一人の感覚だけではつかみ切れません。社員の力を借りるように

しましょう。

アイディアを出し合う手法として有名なものに「ブレーンストーミング」があります。略して「ブレスト」とも呼ばれます。

ブレーンストーミングとは、ある問題を解決するためにグループのメンバーが自由にアイディアを出し合うというものですが、次のような4つの基本原則があります。

① 人の批判をしない
② 常識にとらわれず、思いついたことをどんどん言う
③ 質より量を重んじ、できるだけ多くのアイディアを出す
④ 他人のアイディアに自分のアイディアを結合して発展させる

私がコンサルティングの一環としてブレーンストーミングのお手伝いをするとき、ケースバイケースではありますが、社長がいると社員が言いたいことを言えなくなるので、社長には出席を遠慮していただく場合があります。メンバーの職種はできるだけバラエティに富んでいるほうがいいので、営業担当、開発担当、技術顧問、総務など、いろいろな立場の方々に参加してもらいます。むしろ技術のことに詳しくない人のほうが望ましいので、社長の奥様（多くの中小企業では、経理や総務を担当しています）にもお願いして出席していただいたこともあります。

ブレーンストーミングでは、突拍子もない発言も大歓迎です。「ひょうたんから駒」で化けるかもしれないアイディアが出てくる可能性があるので、とにかくいろんな人にできるだけたくさんの意見を出してもらいます。

どれを採用するかは、後で具体的に検討すればいいので、まずはアイディアをできるだけ出すわけです。

■出たアイディアを「見える化」する

ブレーンストーミングによって出てきたアイディアは、必ず「見える化」するようにしてください。

ホワイトボードに直接書き出すのもいいですし、付箋に書いてボードに貼っていくのもいいでしょう。付箋なら貼り換え自由なので、テーマごとに分けやすくなります。

ブレーンストーミングの結果を「見える化」する技法としてよく知られているのが、KJ法です。発案者の川喜多（K）二郎（J）氏が考案した技法であるところからこの名がつけられました。

KJ法では、次の4つのステップでアイディアを整理していきます。

① アイディアや情報を出す（＝ブレーンストーミング）
② 出されたアイディアをグループに分類する
③ 図解化する
④ 文章化する

一つひとつのステップについて説明していきます。

①アイディアや情報を出す

ここでは1枚のカードにアイディアを書き出していきます。1枚のカードには1つのアイディアだけを書くのがポイントです。

②出されたアイディアをグループに分類する

たくさん並べたカードの中で関連性のあるものをグループにまとめます。どこにも属さないものは無理にまとめる必要はありません。そのままにしておきましょう。

グループの頭にはタイトルを書いた紙を貼ります。

③図解化する＆④文章化する

グループ分けした付箋を大きなグループに分類し、ホワイトボードや模造紙などに並べます。それぞれの大グループの関連性を見ながら、線で囲ったり矢印で結び付けたりなどするといいでしょう。

このように図解化することでアイディアにストーリー性が生まれてきます。それを文章化していくようにしましょう。

ブレーンストーミングやＫＪ法については、より詳細な解説書やテキストが発売されていますので、社内で実践する場合はそちらも参照してみてください。

また、これ以外にも、アイディア出し及び発想法の手法やフレームワークなどは、様々なものが開発されています。自社の環境に合わせて、より適切なものを選んで実践してみてください。

POINT

製品やサービスとは、顧客に対して、「何らかの価値」を提供するものでなくてはならない。そのため、アイディアは社長一人で考えるのではなく、社内の様々な人材から意見を求めるべきである。アイディア出しや意見集約の手法として、ブレーンストーミングやKＪ法がある。

4

活用できる知財を創出する
～知財戦略2.0に必要な武器～

■製品やサービスの活用シーンも併せてアイディアに盛り込む

自社の強みがわかり、それを活かすべき領域も決まり、その領域で「お困りごと」を解決できる製品やアイディアがいくつか出てきたら、次のステップに進みます。

実際にお客様にどのように使ってもらうか、具体的なシーンを描くことによって、「お困りごと」を本当に解決できるかどうかの判断をしていくのです。

このとき大切なのが、その製品やサービスをメインで使ってくれそうなターゲットとなるお客様のイメージをできるだけリアルに思い描くということです。

この製品やサービスの典型的なユーザー像を、マーケティングの世界では「ペルソナ」

と呼びます。このペルソナをどう設定するかが非常に重要なのです。

ペルソナの設定にあたっては、年齢、性別、職業、居住地、年収、特技、趣味、価値観、家族構成、生い立ち……など、リアリティのある詳細な設定をします。

たとえば、地元のサッカークラブや少年野球チームに所属している、スポーツ大好きな小学校5年生の男の子が、「スポーツの合間にのどが渇くので、冷えたスポーツドリンクや清涼飲料水を好きなように飲める入れ物がほしい。入れ物のデザインがかっこよくて友達に自慢できればなおよい」のように考えるのがペルソナです。この男の子に、母親がどんな商品を買ってあげたら喜ぶかを考えたとき、スポーツドリンクを入れて冷たいままの状態で持ち運びできるデザインがかっこいいボトルがあったら、「欲しい！」と思うことでしょう。

このように、ペルソナを設定することで、「その人にどうすれば満足してもらえるか」「その人がその製品やサービスにお金を払うとしたら、いくらまでが妥当なのか」を想定することができます。

また、「同じものを他社で先に作られてしまったらどうなるか」、さらには「自分たちの会社だけで製品を作ったり売ったりすることが可能かどうか」ということも検討課題とな

■図表20　経営資源としての知財

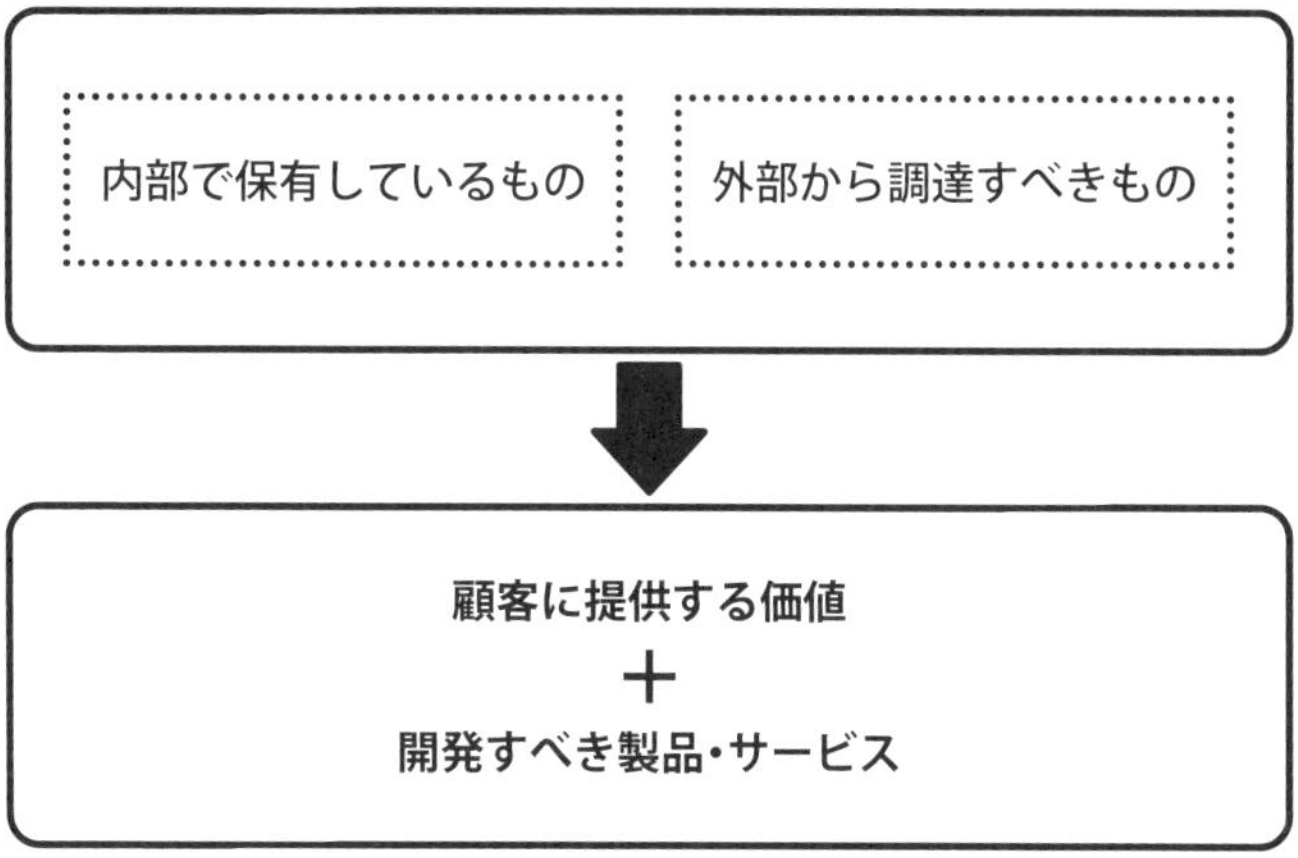

ります。「実現するために必要な技術や知財を自社内で調達できるのか」、あるいは「他社の力も借りてやるのかどうか」を戦略に置き換えていきます（図表20）。

■活用シーンに見合う「知財戦略」とは

ペルソナを設定し、製品の活用シーンを具体的に想定できたら、それに見合う知財戦略は何なのかについて考えていきます。

具体的には次の4つが考えられます。

① 他社に利用されないため、防衛のための特許を取る（守りの特許）

② その製品やサービスを積極的に売って

いくときのアピール材料にする（攻めの特許）

③その製品やサービスを開発する際、自社単独では難しいので他社と連携を組むためのツールにする（攻めの特許）

④自社単独での販売が難しいので、商社に委託するためのツールとして使う（攻めの特許）

（　）内をご覧いただくとわかるように、守りのための特許なのか、攻めのための特許なのかで戦略が違ってきます。

現実的に考えれば、中小企業の知財戦略は「攻めの特許」が基本姿勢になるでしょう。なぜなら、「守りの特許」の戦略を採ろうと思ったら、特許の数で勝負しなければならなくなるからです。

私は以前、家庭日用品メーカーに勤務して知財に関わっていましたが、そこは完璧に「守りの特許」でした。1つの商品について特許を30件取るということがザラにありました。それくらい徹底してやらないと守りの特許にはならないのです。しかし、それをやろうと思ったら、多額のコストがかかります。医薬品や化学物質のようなものを除き、「守りの特許は数が命」と言っても過言ではありません。

中小企業においては、他社との連携によって、自社だけではなしえないことをするための「攻めの特許」というスタンスが主流になってくるのではないかと思います。

■知財戦略を具体化する作業：経営デザインシートへの書き込み

自社の知財戦略の方向性が決まったら、先ほどご紹介した「経営デザインシート」に書き込んでいきます。

「外部から調達すべき資源」としては、パートナー企業の人材、お金、技術、販売ルート、営業力などが考えられます。優秀なデザイナーと組んでデザイン力を向上するということもこれに該当します。

ところで、この部分を社長が受け入れられるかが、1つのハードルとなります。

というのも、交際範囲が広く、お互い「ウィン・ウィン」の関係で業績を伸ばしていこうと考える社長なら問題ないのですが、中には職人肌で自分一人で何もかもやろうとする社長も存在するからです。

そういう社長は、社員や奥様の言葉に耳を貸そうとしません。人の言うことを聞けない社長は、やがて誰にも相手にされなくなり、会社の業績はどんどん悪化していきます。

ただし、そういう社長でも、自分の尊敬する人（メンター的な人）の言葉にだけは耳を傾けることがあります。

もし、社長が自分で必要な外部資源を想定するのが難しいようであれば、メンター的な人の客観的な意見を取り入れ、将来像を描いてみることもお勧めします。

POINT

新たに作る製品・サービスのイメージが固まったら、それを実際に利用する顧客のイメージ（ペルソナ）を可能なかぎりリアルに描くことが大切である。また、中小企業の場合、コストのかかる「守りの特許」よりも、他社との連携も含めた「攻めの特許」のスタンスが望ましい。

5 知財戦略は、自社だけで作るのではなく、他者と共同戦線を張ることも考える

■知財戦略を自社だけで実行できるとは限らない

大手企業は資金力も人的資源も豊富です。たとえば、トヨタ自動車や富士通などは使っていない特許をたくさん持っており、それを「オープン・イノベーション」という名前で外部に開放し、自由に使ってもらうということを実施しています。

しかし、中小企業の場合、資金も人材も限られているので、「共同戦線を張っていく」という選択肢が当然出てきます。

共同戦線を張るための準備の第一歩として、まずは自社の状況をよく把握しておくことが大切です。「自分たちはどの領域でいくのか」「どんな強みを持っているのか」「外部の

環境はどうなのか」を、この章で説明してきた内容を参考に、客観的な情報として整理し、準備しておきましょう。

自分たちだけでは難しい場合、社長のネットワークなどでその分野で強みを持っている人を探すなど、外部のプレイヤーを探すことになります。

もし、現在のネットワークの中で共同戦線を張るパートナーが見つからなければ、独立行政法人中小企業基盤整備機構の支所や地域の商工会議所、つきあいのある金融機関など、マッチングを行っているところを活用して組める相手を見つけていくようにしましょう。

共同戦線の張り方には、次の3つのタイプがあります。

1つは、お互いの開発力を組み合わせて共同で開発を行うやり方です。

2つめは、いわゆる「ファブレス」と呼ばれる、工場を持たずに開発だけをやるというものです。特許をライセンス化して他社で作ってもらい、ライセンス料をもらうというやり方です。

3つめは、製造のみならず、商社経由で販売もしてもらうというやり方です。

■共同戦線の注意点

共同戦線を張る場合、注意も必要です。

こんな話を聞いたことがあります。B社は大手企業と協業することになり、ミーティングの機会が設けられました。ここでB社の社長は大きなミスを犯してしまいます。ノウハウ部分についてしゃべりすぎてしまったのです。

大手企業は知財部門が充実しているため、相手から上手にノウハウを聞き出す術を心得ています。悪く言えば、「相手のノウハウを盗むのがうまい」ということです。

「ちょっと検討したいので、この試験データを出してもらえませんか？」と言われ、B社の社長は仕事欲しさに相手に言われるまま、貴重なデータを出してしまいました。すると相手はそれきり何も連絡してこなくなったそうです。もちろん、契約も結ばずじまいです。

実は私は、B社の社長に「契約を結ぶ前に資料を出すのはやめたほうがいいですよ」とアドバイスしたことがあります。資料の提出は「きちんと契約を結んでから」が原則だからです。

提出したデータは必ず返却してもらうとか、間違いなく処分してもらうなどの取り決めをしておかなければいけません。

そうしないと、資料を盗まれたまま、「自分たちでやることになったので、御社とは協業しません」と切られる羽目に陥る可能性が高くなります。

■契約関係はプロに任せるのも一手

中小企業の社長の中には、契約関係の業務に疎い人が少なくありません。

というのも、契約書には難解な文言がいろいろ入っていて、読むのも一苦労、内容を理解するのはもっと大変だからです。実際、大手企業から送られてきた契約書にろくに目を通さないままハンコを押してしまう社長もいます。恐ろしいことですが、実際にあるのです。

そうならないよう、契約関係の業務だけでも弁護士や技術契約に強い弁理士に頼むようにするという方法もあります。弁護士は言うに及ばず、契約関係を多数扱ったことのある弁理士であれば、契約書に目を通すだけでなく、打ち合わせ時にどこまで話していいか、どういう交渉をすべきかといったことまで、アドバイスしてくれるでしょう。

POINT

経営資源の限られた中小企業の場合、自社単独ではなく、他社との共同戦線による知財戦略も検討すべきである。その場合、重要な情報の軽率な開示に注意したり、難解で煩雑な契約関連業務を外部の専門家に委託するなどの必要なリスク対策をとっておくことも検討する。

COLUMN

日本弁理士会「社長の知財」は必読！

中小企業には、様々な「知財あるある話」が存在します。

ここでは一つ、やってしまいがちなエピソードをご紹介しましょう。

ある会社で画期的なロボットを考案しました。いざ展開しようという段階で、社長が金融機関に融資の相談に行ったところ、「当然、特許出願をされていますよね？」と聞かれたのだとか。

そう言われて、社長は慌てて特許を出願しようとしましたが、実はこの会社ではそのロボットをすでに展示会で出展してしまっていました。通常、展示会に出してしまうと、「新規性がない」ということで特許審査の対象にはなりません。

例外的に展示会に出して1年以内であれば認められるのですが、融資の相談をした時点ですでに1年1カ月が経過していたため、「それでは融資できません」という判断をされてしまい、先に進めなくなってしまいました。

特許出願をしていない状態で展示会に出すと、よその会社にアイディアを盗まれる可能性も非常に高くなります。くれぐれも順番を間違えないよう注意するようにしましょう。

なお、日本弁理士会のホームページでは、「社長の知財」というコーナーで、知財にまつわる様々な「あるある話」を紹介しています。興味のある方は、ぜひのぞいてみてください（https://www.jpaa.or.jp/shacho-chizai/）。

第4章

「知財」の活用
～「知財戦略2.0」による収益化～

1

知財を収益化する手法の三態様（製品化、ライセンス、連携）

■知財を活用したほうが収益は上がる

この章では知財を収益化するための手法についてご説明したいと思います。

「知財の活用が本当に収益アップにつながるのか」というのが、みなさんが最も気になるところでしょう。このことについて、興味深いデータがあるのでご紹介します。

このデータは、企業分析を行っている三菱ＵＦＪリサーチ＆コンサルティング株式会社の報告書に掲載されているものです。

図表21は、特許権を持っているかいないかで売上高営業利益率にどれだけ差が出ているかを報告したものです。左上が２０１５年、右上が２０１６年、左下が２０１７年のデー

図表21　特許権所有の有無・活用の有無と売上高営業利益率

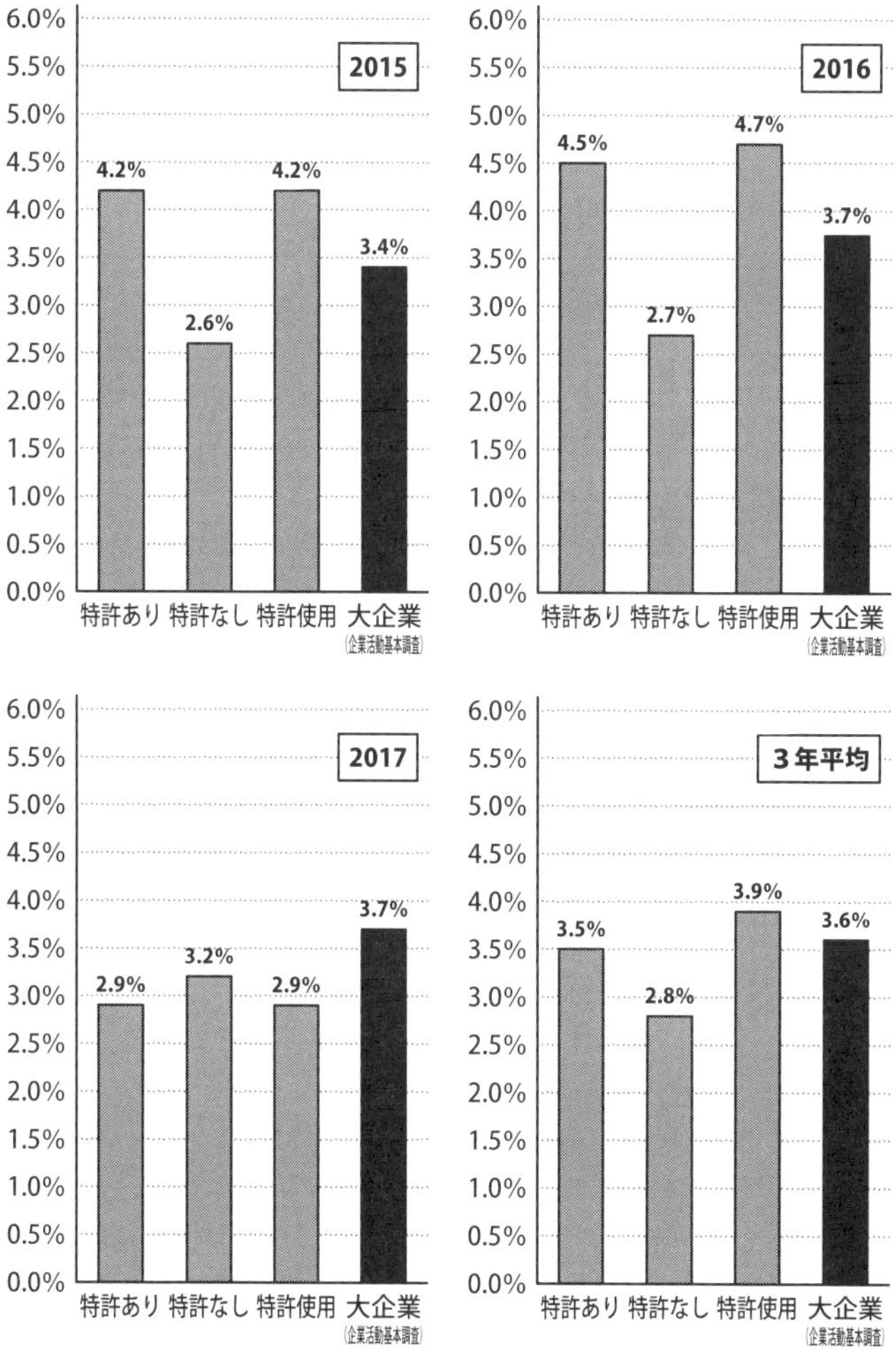

出典：三菱UFJリサーチ＆コンサルティング

タで、右下には2015年から2017年までの3年間の平均が示されています。

3年間の平均を見ると、「特許あり」のほうが「特許なし」よりも0・7%ほど高いことがわかります。

また、注目すべきは、大企業との比較です。棒グラフの左から3つは中小企業、右端は大企業のデータとなっていますが、大企業の売上高営業利益率の伸びよりも、特許を使っている中小企業の売上高営業利益率の伸びのほうが大きいことがわかります。

ざっくり言うと、「特許を活用したほうが儲かる」ことをこのデータは示しているのです。特許を持っているほうが付加価値は上がりますし、特許を使っている商品があることによって特許自体の価値も上がります。

売上高営業利益率が高ければ、商品開発に回すための資金調達も容易になりますし、さらに売上が上がることで開発に回す投資も回収できるというふうに、いい循環に入っていくことができます。

■どの活用方法がよいかをどうやって見分けるか

特許の活用を検討する場合、最初に決めるべきは、

① 自社ですべて行う
② 他社との協業で行う

のいずれの方法を採るかということです。

ある程度潤沢な経営資源がある場合、①の「自社ですべて行う」ことが可能でしょう。デザイン開発やネーミング開発も自社で行い、製品を作って販売に活用していきます。

自社ですべて行うことが難しい場合は、②の「他社との協業で行う」ことになりますが、この場合、「②－１　製造・販売は他社に任せてライセンス料をもらう」と「②－２　製造・販売等を他社と連携して行う」という２つの選択肢からいずれかを選ぶことになります。

■知財の活用三態様のメリットとデメリット

つまり、特許の活用法には、

① 自社だけで製品開発し販売まで行う
② 製造・販売は他社に任せ、ライセンス料をもらう
③ 製造・販売等を他社と連携して行う

という3つの方法があるということです（図表22）。

①の自社で全部やることのメリットは、「利益のすべてを独占できる」ことです。しかし、その一方で「多くの経営資源が必要となる」というデメリットがあります。したがって、知財活用でこの態様を採っているのは、現実には大手企業がほとんどです。

②のライセンス委託は、「自社の経営資源の投入割合が低くてすむ」というメリットがあります。この態様は、「経営資源の欠如・不足」という弱みを補完するにはいい方法で

■図表22　知財活用の三態様

	活用の態様	メリット	デメリット
1	自社だけで製品開発し販売	自社だけで利益を独占できる	多大な経営資源の投入が必要
2	ライセンスする場合	製造販売しなくても、ライセンス料という純利益が得られる	相手先との交渉が難しい
			ライセンス料の算定基準がない
3	他社と連携する場合	他社の経営資源を利用できる	自社だけでコントロールできない
		弱みを補完できる	他社と「喧嘩別れ」したときの対応が面倒

す。しかし、「ライセンス先をどうやって見つけるか」が課題になります。また、「ライセンス料をどのくらいに設定するか」が難しいところでもあります。

アメリカや中国では、自国内に特許の売買マーケットがあり、公表もされているようなので、それを参考にライセンス料を決めているようですが、日本には特許のマーケットはありません。「知財を活用する」という点において、日本は先進国の中でも遅れているほうなのです。しかし、中小企業の中で、少しずつ戦略として知財を活用しようという意識は広がってきているように感じます。

③は、製品を開発する場合に他社の経営資源を活用できるので、「自社に経営資源がさ

ほどなくても進めていける」というメリットがあります。しかし、当然のことながら資金を出してくれる他社の意向が意思決定に入ってきます。その点で経営の自由度が下がることは覚悟しなければなりません。

③のケースでは、相手が大手企業である場合、契約内容に注意が必要です。「大手と協業できるようになったのですが、相手にとって有利な契約になりそうなんです」という相談をよく受けます。

大手企業には、知財管理や交渉の業務を専門に行う部門があり、交渉慣れしています。相手の言いなりにならないように気をつけましょう。

特許というのは独占権であり、それを使わせるか使わせないかは特許を持っている側に決定権があるべきです。私がよく言うのは「交渉では、特許を持っている側（中小企業側）が強いので、譲歩しないようにしてください」ということです。自社にとってメリットが大きくなるよう、粘り強く交渉しましょう。

■販売委託契約がうまくいかなかったケース

大手企業と組めたからと言って、それが必ずしもうまくいくとは限りません。時には喧嘩別れに終わることもあります。

つい最近聞いたのは、自力で製品を販売する力のない中小企業が、大手企業に販売を委託したケースです。販売委託契約を結んで進めていたのですが、結局、その大手企業にもその製品を売ることができなかったそうです。

相手の大手企業が「販売委託契約を解消したい」と言ってきたので、今はその処理に追われているのだとか。しかし、相手の動きが遅くて未解決の部分があるために、次の販売代行会社を探すのに難航しているということです。

協業がうまくいかない場合は、なるべく早く手を切ったほうがいいのですが、一度連携してしまうと、早期に解消するのが難しいことがあります。連携する会社を選ぶにあたっては、よく相手の会社を見るようにしましょう。

POINT

知財の収益化の手法として、①製品化、②ライセンス、③連携の三態様がある。それぞれメリットとデメリットがあるので、自社の置かれた状況に即して選択することが大切である。特に③の他社との連携は少ない負担で大きな成果を得ることができる反面、連携相手の見極めが困難である。

2 態様①　製品化における知財の活用

■活用方法１　自社の知的財産とノウハウを組み合わせる

自社で製品づくりから販売まですべて行う場合、マーケティングやブランディングも同時に進めていくことが必要です。

私がクライアントからヒアリングをしていて強く感じるのは、中小企業の場合、特許の明細書に書かれている技術内容そのものよりも、そこに書かれていないノウハウのほうがその会社の強みの源泉になっている場合が多いということです。

そして、ほとんどの会社では、そのノウハウの重みや貴重さを理解していません。そのため、特許の明細書にノウハウ部分をうっかり書きすぎてしまうことが往々にしてあります。

もちろん、特許の明細書には、その製品がどんな構造をしていて、その特許に関する技術にはどのようなものがあるかを具体的に書かなければいけません。しかし、ノウハウに関わる部分まで書いてしまうと、気づかぬ間に他社に使われてしまうリスクがあるのです。

たとえば、医薬品を製造する際に使用する化学物質の配合はどのくらいの割合が適切かといったことです。化学の分野では、時に化学反応を起こさせるための触媒が使われます。実際の製品になったときには残っていないような触媒に、「何と何を混ぜる」というようなノウハウを具体的に書いてしまうのは、「弊社の貴重なノウハウをどうぞ自由にお使いください」と言っているようなものです。

特許は明細書に記載した項目がすべて公開されてしまいます。詳しく書きすぎると、あっという間に他社に真似されると思ってください。

ノウハウをいかに守るか、他社に知られないよう秘匿するか、社内の管理と運用をしっかりやるようにしなければいけません。少なくとも、ノウハウを知っている人の範囲は、社長と役員、および技術の担当者だけにとどめるべきです。

そこが徹底できていないと、技術ノウハウの流出ということになりかねません。

■活用方法２　マーケティング戦略と組み合わせる

特許になるかならないかを問わず、「他社を牽制する」という意味で特許出願をすることが技術力のアピールになります。

これはマーケティングの一種になってくるので、それとセットで特許を活用することを見据えていくといいでしょう。

たとえば、こんな事例があります。特許取得の可能性は低いが、他社に同様の特許を取得されず、かつ牽制効果を狙って特許出願し、審査請求期限（出願から3年）ぎりぎりに審査請求をした事例です。これによって、少なくとも3年は他社に対する牽制（たとえば、製品に「特許出願中」との表示をするなど）ができます。

製品によっては、特許だけではマーケティングに不十分な場合があります。たとえば、子供用スポーツボトルのように格好いいデザインをアピールしたい場合、意匠の活用が必要になりますし、後述するブランディングでは商標の活用も必要となってきます。つまり、「知財ミックス戦略」を考えておく必要があります。

実際にマーケティングを実践し、独自の「ＭＰＤＰ理論」を構築している社長もいます。それが本書の巻末対談に登場する株式会社エンジニアの髙崎充弘社長です。大ヒット商品「ネジザウルス」の生みの親として知られています。

髙崎社長が書かれた『「ネジザウルス」の逆襲』（日本実業出版社）という本によれば、マーケティングは最も重要な要素であり、「お客様の声なき声を救い上げることである」とされています。よく「顧客ニーズに沿った製品開発を」と言われますが、大事なのはお客様の「潜在ニーズ」をどうやって見抜くかです。そして、お客様の「潜在ニーズ」がわかれば、次にそれを解決する手段を、自社の技術力・デザイン力を駆使して講じます。これが「マーケティングと知財を組み合わせる」ということなのです。

髙崎社長の場合、約１０００通もの愛用者カードを分析し、改善点や追加機能をデモしたところ、「トラスネジ（頭部形状が丸く、頭の高さが低いネジ）を外せる」という機能が最も好評であり、まさに潜在ニーズであったということです。

■ 図表23　某社のブランディング戦略

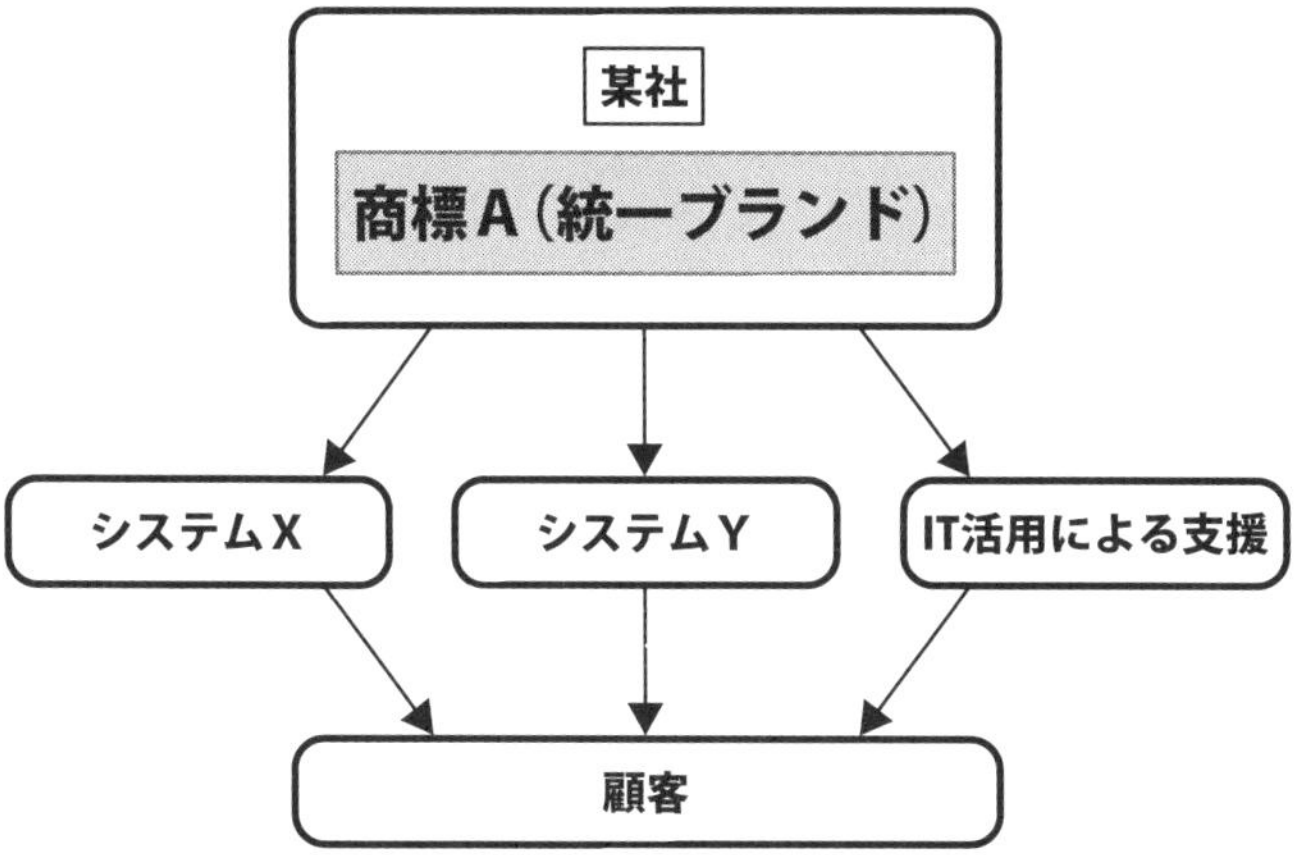

■活用方法3　ブランディングに活かす

　商標を使って、自社製品を市場に浸透させるためのブランディングに活かしていこうというものです。

　図表23は、ある会社のブランディング戦略を示したものです。ＩＴを使って予算管理システムを提供している会社で、ＩＴを使ってできるシステム（システムＸ）のほか、ホームページ制作やマーケティング支援（システムＹ）も行っています。

　これらのサービスを統一したブランドとして商標Ａと名づけ、それをお客様に浸透させていくというやり方です。

私がかつて勤務していた「象印」という会社の名前も、ブランド戦略の結果生まれたものです。

創業当初は「協和魔法瓶工業株式会社」と名乗っていました。実は、「象印」の象は、東南アジアに輸出した魔法瓶につけられたマークだったのです。

やがて象のマークのほうが有名になり、多くの人に認知されやすいことがわかったため、会社名を「象印」に変更したのです。

今では「象印」という社名を聞けば、炊飯器やポットなど身近な家電がパッと頭に浮かぶという人が多いと思います。

ブランド名を聞いたら、その会社の事業内容をすぐに頭に思い浮かべてもらえるように認知させていく。ブランド戦略ではそれが大事です。技術力だけで成長してきた中小企業には、その視点が欠けているのではないかと感じます。

資金力がないとテレビでコマーシャルを打つことは難しいですが、幸いにも今は各種SNSやユーチューブなどの動画サイトを無料で活用することができます。また、マスメディアを使った広告宣伝の効果が以前と比べて薄れており、ネットを使った口コミのほうが効果が出るとも言われています。マーケティングとセットで、ぜひ自社のブランディングをどういうやり方でやっていくかを考えてみてください。

POINT

製品化における知財の活用では、自社のマーケティング戦略やブランディング戦略と同時に進めていくことを意識する。また、注意すべきポイントとして、特許出願時に自社のノウハウ的な情報を明細書に書きすぎないようにする。

3 態様②　ライセンス（相手探しから交渉・契約まで）

ライセンスによる知財の収益化を選択した場合、最も困難なのはライセンスを供与する「相手探し」です。「相手さえ見つかればライセンスは7割方成功した」と言えるほどです。

■ステップ1　特許に関するニーズを調査する

まず自社が取得した特許と同じ分野で、どこの会社が特許を取っているかを調べます。製品化する上で同じような技術課題を抱えている会社は、すでに同じ分野で特許を取っていることが多いからです。そこから相手の会社のニーズを探り、自社の特許が相手にとって役に立ちそうであれば、コンタクトを取ってみます。

私のクライアントの中に、カテーテルに関する特許を出した会社があります。カテーテルは、開発するのに多額の資金や専門的な人材を必要とします。厚生労働省から認可されるためには煩雑な手続きを踏まなければならず、小規模の会社では現実的になかなか難しい面があります。

そこで、このクライアントでは、大手企業でカテーテルを開発して製品化しているところに向けて、「当社では、より使いやすいものを作りました」というアピールをしているところです。

ちなみに相手先企業の選定や相手がすでに取得している特許の分析は、私が担当しました。これは特許庁のサイトを見て検索していく作業になりますが、対象となる会社を見つけるためには、ちょっとしたノウハウが必要になります。「餅は餅屋」という言葉があるように、専門的なことはその道の専門家に任せることで効率アップを図ることができます。

また、相手先を見つけるには、インターネットでのマッチングサイトを利用するのもいいでしょう。たとえば、オープン・イノベーションの支援サービスを行っているリンカーズという会社があります。「Linkers」で検索すれば出てきます。「こういう製品を開発したいので、こんな技術を持っている会社を探したい」などのオファーが寄せられ、それに対してこの会社に登録されているコーディネーターが最適なサプライヤーを提案するというビジネスを行っています。

私もこの会社にコーディネーターとして登録しています。会社を紹介し、契約が成立したら、マッチング成立の成功報酬をいただくシステムです。このようなサービスも利用する価値はあります。一度アクセスしてみてください。

■ステップ2　相手先との交渉

相手先が見つかって交渉する場合には、2段階を踏んで行うことをおすすめします。

まず、相手がどういう意図で交渉に臨んできているのかを探る必要があります。特許を持っている側の技術をどんな形で使いたいのか、そしてどのようにビジネスを展開したいと考えているのか、その会社にはしっかりしたビジョンがあり、ライセンス契約をすることがそのビジョンに沿っているのかどうかを確認しましょう。

その意図を探った上で、自社の特許を使えばこういうビジネス展開も可能になるといったこと、マーケットがどういう状況かなどを、エビデンスを提示しながら提案していきます。

ここで合意が得られて初めて、「では、どういう条件でやりましょうか」というセカンドステップの条件交渉に移る形になるわけです。

「それでは普通の契約交渉と変わらないじゃないか」と思われるかもしれません。しかし、実は特許の交渉には特殊な場面も出てくるので注意が必要です。

それは、「特許の活用できる範囲について、明確に決めておく必要がある」という点です。「この特許ではその技術まではサポートできない」とか、「この特許の用途範囲はこの分野なら使ってもらってもかまわないが、特許に記載されている用途と違う用途で活用してもその特許の権利範囲に入るのかどうか、もし入らない場合は改めて別用途での特許取得を検討する必要がある」などの交渉が必要になる場合があります。

大手企業は交渉事に関しては百戦錬磨なので、契約のことをよくわかっている人材が中小企業側にいないと不利に運ばれる可能性が大です。

さて、肝心のロイヤリティですが、日本には特許のマーケットがなく、明確な判定基準というものは存在しませんが、帝国データバンクが特許庁に委託されて調べたデータがあるので掲載しておきます（図表24参照）。若干古いデータですが、参考にはなると思います。

ステップ3　ライセンス契約

ライセンス契約を締結するにあたっては、相手から契約書の案が出る前に、自分から先に出すようにします。先手必勝と思ってください。

絶対にやってはいけないのが、相手が出してきた契約書の細かい条項までよく読まずに印鑑を押してしまうということです。ライセンス契約書は煩雑な上、専門用語を使うので内容が難しく、この条文を適用したらどんなことが起こり得るかをなかなか想定できません。

何度も繰り返しますが、特に相手が大手企業の場合、契約慣れしています。こちらがなかなか気づかないような細かい条項に、自分たちにとって有利な内容を入れてきます。

それを阻止するには、自分から契約書を出すことです。

インターネットで調べれば、契約書のひな型が色々出てきますが、それが果たして自社

■図表24　特許権のロイヤルティ料率の平均値

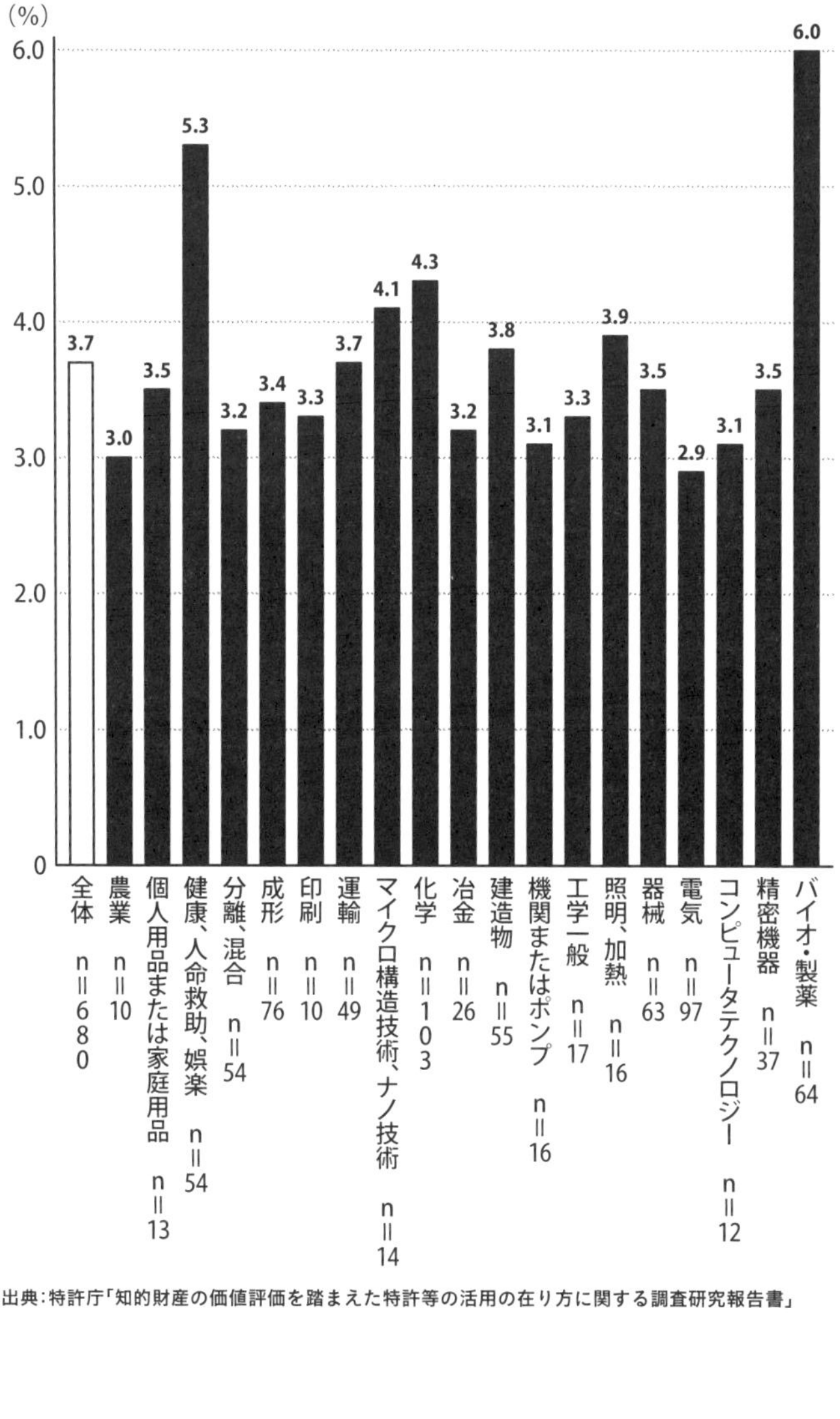

出典：特許庁「知的財産の価値評価を踏まえた特許等の活用の在り方に関する調査研究報告書」

に使えるかどうかはわかりません。契約書の作成は非常に重要ですので、専門家のアドバイスを受けながら作るようにしたほうがいいでしょう。

この場合の専門家とは、弁理士か、知財に強い弁護士ということになります。中小企業の社長にとっては、弁護士のほうがなじみ深いようですが、実際に明細書を書いたり特許庁とのやり取りを通じて手続を行ったりするのが得意なのは弁理士であることは確かです。企業での技術契約実務に詳しい弁理士であればなおよいでしょう。

■ライセンス契約の事例

知財のライセンス契約について、以下のような事例があります。

①大手家電メーカーより、家電製品の特許について「ライセンスを受けたい」という申し出を受けたZ社が、相手とのライセンス交渉の結果、1000万円単位のライセンス料を獲得した。

②ある会社から「あるところから特許を買わないか言われた。当社としてはその特許

を活用した事業に魅力を感じてはいるが、特許そのものの価値についてはまったくわからないので、その特許がいくらくらいの価値があるのか評価してほしい」と頼まれた。結果を報告したところ、「相手の申し出を受けて買い取ることにした」とのこと。

③（特許庁「知的財産活用企業事例集２０１８」より）

日本精密測器株式会社（本社：群馬県渋川市　血圧計、非接触体温計などの医療機器、監視カメラ用アイリスなどの光学機器を製造、販売）は　手首式血圧計の課題であった測定精度の向上を図り、血圧を正確に測る技術を開発して特許を取得。同技術を搭載した血圧計の製品化に成功上述の血圧測定技術は、国内のみならず、海外にも広く製品を販売していくため、米国、ドイツ、フランス、イタリア、スペインなどの海外で特許を取得しており、欧州の大手医療機器メーカーから、同社が保有する特許技術の供与の要請があり、同社としても自社技術が搭載された製品が増えることで市場拡大が見込めることから、特許のライセンス契約を締結し、ロイヤリティ収入を得ているとのこと。

POINT

ライセンスによる知財の収益化においては、ライセンスを供与する相手を見つけることが最も重要である。自力で調べたり専門家の力を借りるなどの様々な方法がある。相手との交渉や契約においては、弁理士や知財に詳しい弁護士の力を借りて、自社に不利にならないように注意する。

4
態様③　連携（自社の弱みを補完する）

■連携のパターン（販売委託、共同研究・共同開発）

連携のパターンとしては、大手企業からオファーを受けて一緒に製造・開発するということが多いようです。

その場合、まずは相手のホームページを参照して中長期経営計画を確認し、どのような意図で自社にオファーが来たのか、アウトラインをつかんでおきます。その上で面談という流れになります。

このとき大事なのは、こちら側（特許権利者側）から詳しいことや条件面での話をしないように注意することです。

よくあるのが、自分の技術をアピールしたいがために、余計なことを話してしまうことです。第3章でも述べましたが、ついノウハウ部分まで詳しく話してしまった結果、相手側から「やはり自社単独でやることにしました」と連絡を受けたという話を聞いたことがあります。

まずは相手の意図をよく聞き、相手の企業体質についてよく見ることに徹しましょう。相手が信頼できるかどうかを見極めることです。

■連携のメリットは、自社の弱みの補完

他社と連携することのメリットは、製造面や販売面、技術面などで自社に足りない部分を補完できることです。

たとえば、自社の販売面が弱いのであれば、日本全国に販売網を有する会社や専門商社と共同で組むなどの対策が必要となります。また、自社で製造設備を有していない研究開発型企業では、自社では難しい生産能力や品質管理がしっかりできている製造会社と組むなどの方法が考えられます。いずれにしても、いくら特許を取得しても製品やサービスを

製造・提供できる体制ができなければ、当然ながら売上にも収益にも直結しません。

その一方、よかれと思ってやったことが失敗に終わる場合もあるので、連携する相手をきちんと見て選ぶことが大切です。

ここで１つ失敗事例をご紹介しましょう。

S社は販売網を持たないため、取引先の１つと組んで契約を結びました。ところがほどなくして相手先に想定していたほどの販売力がなかったことが判明し、契約を白紙に戻さざるを得なくなりました。

なぜこのようなことが起こったのでしょうか。

実はその理由とは、中小企業にありがちな「社長（役員）同士が懇意だったから」なのです。S社の社長が「こんな製品を作ろうとしているんだ」という話をしたところ、相手先が「それをうちで売らせてくれないか」という話になったのだそうです。

客観的に相手の販売力を見極めて決めたわけではなく、ただ「相手と懇意だったから」というだけの理由で決めてしまったところに問題があったわけです。

反対に成功事例も１つご紹介します。

T社は、アメリカと日本で特許を持っているU社から委託を受け、U社の製品を製造することになりました。

T社は当初、自社が持っている技術だけでその製品を作ることができると考えていたのですが、製造の準備を進める中でそれが困難なことがわかりました。

そこで私に相談して来られたわけです。私はメーカーの技術部門に在籍していた経験があるため、T社が抱えている問題を解決できそうな人を知っていました。

早速ご紹介したところ、うまくいき、T社では今、その人からノウハウを教えてもらいながら開発を進め、もうすぐ製品ができ上がるというところまで来ているそうです。

もうひとつ成功事例をご紹介します（特許庁「知的財産権活用企業事例集2018」より）。オキツモ株式会社（本社：三重県名張市　フッ素樹脂塗料及び機能性コーティング剤の製造・販売）は、新規事業を行うための新会社を大手企業と共同で設立し、開発成果について特許を取得。光触媒塗料を開発し、高いシェアを獲得しているとのことです。

POINT

連携による知財の収益化は、販売面や開発面、技術面などにおける自社の弱みを、相手との連携でカバーできる点が魅力である。やはり連携のパートナーの見極めが重要となるので、オファーがきたら冷静に相手の意図や企業体質を分析して、信頼できるかどうかを探る。

5

3態様のうち、どれを選択するかは、経営者の決断と自社のビジョン次第

■結局「理念・ビジョン」に行き着く

ここまで「知財の収益化」の3つの態様についてご説明してきました。

3つのうち、どれを選ぶかは、結局のところ、自社がどのような理念とビジョンを持って会社の収益を上げていこうとするかということに結びついてきます。

そこが結びついていかないと、知財活用の対応を誤ることになります。

■経営者の判断力・決断力が問われる

３つの態様のうち、どの態様を採るかは、社長の判断と決断にかかっています。

ところが、中小企業の社長は、実務に追われて、「決断する」ということがなかなかできません。

社長の本来の仕事は、「やるかやらないか」を決めるだけなのにもかかわらず、その一番肝心なことができていないのです。

したがって、まず「どうするのか」を決めましょう。たとえば、「自分たちは技術力だけで生きていく」と決めたとしましょう。そうすれば、「自社は強みである技術開発に特化し、その成果を他社にライセンス供与する」という選択肢になるでしょう。

あるいは「自分たちの会社の存在をもっとアピールして、製品を売っていきたい」ということであれば、「意匠も商標も使って、ブランディングとセットでやっていく」という選択肢になるでしょう。

結局、自社のビジョンがはっきりしていて、どれにするかを社長が最終的に決められるかどうかにかかっていると私は思います。

■「よそがやっているからうちも」はダメ

絶対にやってはいけないのが、「よそがやっているから、うちもやるか」という動機で始めてしまうことです。

実際、私が知っている会社で、「他社がこんな商品を作って売れているらしい。それなら自分たちも」と特許を取った会社がありました。今どうなっているかというと、結局、開発もやめてしまい、特許は取りっぱなしで塩漬け状態。まったく製品化できませんでした。

自分たちのビジョンがなく、よその真似をしてもうまくはいかないのです。

逆に言えば、ビジョンを明確に思い描ければ、自分たちが今、何をすべきかがはっきりしてきます。

たとえば「○年後に売上を△億円にする」というビジョンがあったとしましょう。ならば、それに達するためには具体的に何をすべきかを否応なく考えることになります。この製品をこういう形で作って、どこと組んでどのようにブランディングしていくかなど、全部計画を立てて、知財戦略に盛り込んでいくことが大切なのです。

■思いがけない用途もつながることも

一方、ある用途に限定して作ったところ、特有の効果が見つかり、まったく違う特許になったというケースもあります。

かなり昔の話ですが、ＤＤＴという物質がありました。戦後ノミやシラミを駆除するのに使われた殺虫剤ですが、ＤＤＴ自体は公知の物質でありながら殺虫剤として使ったら効果があったということで、別の特許につながった例として知られています。

また、流体の流速を測定できるセンサーを開発したとすると、その利用可能分野は家電・医療など多方面での用途開発ができる可能性が出てきます。この用途開発も収益化の上では重要です。

■ケースによっては、3態様を組み合わせる

3態様は1つだけを選択しなければならないということではありません。

たとえば、国内での製品開発と販売は①「製品化」で、海外については②「ライセンス」で販路開拓は海外商社に委託して行うというアプローチが考えられます。

また、③「連携」をベースにしつつも、その際にもライセンス交渉が必要になる場合があるので②「ライセンス」で説明したライセンス交渉の進め方を参考にすることもあります。

このように、柔軟に組み合わせて戦略を組み立てることも重要です。

■海外展開も見据えた戦略構築を

「態様③　連携」の項で、海外から製造委託された事例を紹介しました。これに限らず、「グローバル化」の進展に伴い、中小企業にとっても、海外での事業展開を検討すること

が戦略上重要な課題であることは言うまでもありません。

海外展開においても、ここで述べた3態様による知財活用を盛り込んでいく必要があります。

たとえば、海外に広範なネットワークを持つ商社との連携による海外販路拡大、独立行政法人日本貿易振興機構（ジェトロ）や各自治体などが支援するプログラムに乗っかった形での海外進出が考えられます。もちろん、自社で国内外で開かれている国際見本市に積極的に技術や製品を出展するなどの施策も考えられます。

たとえば、大阪府東大阪市にあるハードロック工業株式会社という緩み止めナットを製造している会社では、海外販売先である欧米やアジアで知的財産権を取得し、営業活動を実施しているとのことです（特許庁「知的財産活用企業事例集２０１８」より）。

■海外での事業展開における知財戦略

海外進出の前提として、「海外での特許や商標の取得と活用による模倣リスクに備える」という視点も戦略に盛り込むことが不可欠です。

日本以外の国で権利を保護したい場合は、原則としてそれぞれの国に出願し登録することが必要です。ただし、国ごとに出願する行為は、翻訳などの手間やコストがかかり、中小企業にとって現実的ではありません。

詳細は省略しますが、特許では「PCT（特許協力条約）」、商標では「マドリッド協定議定書（マドリッド・プロトコル）」といった、複数国へ出願しやすくするための条約が、多くの国同士で結ばれています。

また、特許庁では、中小企業の戦略的な外国出願を促進するため、外国への事業展開等を計画している中小企業に対して、外国出願にかかる費用の半額（上限額300万円、案件ごとの上限額は特許については150万円）を助成しています。

中小企業の支援については、独立行政法人日本貿易振興機構（ジェトロ）と各都道府県等中小企業支援センター棟が窓口となります。地域団体商標の外国出願については商工会議所、商工会、NPO法人なども応募できます。

POINT

知財収益化の3態様のうち、どれを採るかは自社のビジョンと直結しているため、最終的には社長の決断力が問われることになる。ビジョンさえ明確に描けていれば、選択肢はおのずと決まる。最悪なのは、「他社がやっているから自社もやる」的なスタンスである。

COLUMN
面白い特許

仕事柄、特許庁のホームページで様々な特許情報を調べることがありますが、その過程で発見し、筆者の独断と偏見で面白いと思った特許をいくつかご紹介します。

1 使い捨て衛生マスク（特許5074746 特許権者：ユニ・チャーム株式会社）

耳にかけても痛くないことが特徴のマスクを販売しているユニ・チャームはマスクについて多数の特許を取得していますが、この特許もその1つです。内容を簡単に言えば、高伸縮のシート部材で形成された耳掛け部に切欠きを設けて、マスクを装着した際の顎部のフィット感を維持しつつ、マスクの破断も防止したものです。

2 ペットの葬儀専用の仏衣（実用新案登録第3173177 1 実用新案者：株式会社Ai）

亡くなったペットに着せる仏衣です。胴体に着せる部分と足に着せる部分を一体化させ、足の方についているひもを首のところで結ぶ形になっています。死後硬直が始まったペットにも、容易に着せることができます。ペットを大切な家族の一員と考える人が増えている今、まさに時代に合った考案と言えるのではないでしょうか。

3 月面探査機の仮想操作システム（特願2005−285977 出願人：カシオ計算機株式会社）

カシオ計算機が出願した、インターネットを介して自宅のパソコンから月面探査機を仮想操作できるシステムです。これ自体は拒絶されていますが、親出願は特許となっています。

第5章

「知財戦略2.0」を実行し続ける体制づくり

1 知財戦略成功のキモは、「継続は力なり」

単発の知的財産取得をしても……

私は経営コンサルタントである一方、弁理士として特許事務所の経営もしており、中小企業の社長から知財に関する様々な依頼や相談を受けています。

本書の中で何度も申し上げていることですが、日々の業務の中で気になっているのが、「特許さえ取ったらそれでいい」という考えを持つ社長が実に多いことです。ある技術を思いついたからまず特許を取る。それはいいでしょう。しかし、そこで満足してしまうと、せっかくの特許が実際のビジネス、つまり利益につながっていきません。

これは非常にもったいないことです。時間とお金をかけてせっかく取得した特許も、ビジネスで活用しなければ、ただの「宝の持ち腐れ」になってしまいます。

このような事態を避ける方法があります。それは「知財戦略を策定する段階から、知財活用に長けた弁理士にアドバイスを頼む」ということです。

もっとも、発明相談や、特許の出願から取得までの代行を主業務としている弁理士が多いのも事実です。確かにそれも弁理士の主業務ではありますが、せっかくの特許が活用されないままになるというのは、出願を依頼する社長の側にも、依頼される弁理士の側にも「弁理士の仕事とは、特許出願の手続代理をすること」という固定観念があるからでしょう。

この背景には、リーマン・ショックが起こる前まで、多くの弁理士が特に仕事に困ることなく、クライアントからの特許出願手続代理だけで十分な収入を得られていたことが関係しているのかもしれません。私はその時代にまだ弁理士の資格を持っていませんでしたが、先輩弁理士から聞いたところによると、弁理士の数が少なかったにも関わらず、現在よりもはるかに依頼件数が多かったそうです。

現在の日本国内の特許出願数は年間30万件ちょっとですが、一番多かったときは50万件を超えていました。

当時は弁理士の資格を取ったら独立するのが当たり前でした。特許出願の手続きだけで高収入を得られるのですから、独立しない手はなかったわけです。

しかし、最近は弁理士の資格を武器に、逆に企業へ就職する人が多いのだそうです。そのほうが多くの給料をもらうことができ、生活が安定するからでしょう。

とはいえ、中には「これまでの手続き代行をメイン業務とするだけでは、クライアントの本来のニーズに応えることにはならない」と考え始めている弁理士もいます。クライアントが取得した特許をクライアントに存分に活用していただき、売上を伸ばすお手伝いをする。それによってクライアントは、新たな特許取得というチャレンジをする余裕が持てるようになり、オンリーワンの存在として厳しいビジネス社会で生きていくことができます。

経営者の「知財パートナー」としての役割を果たそうとする弁理士がもっと増えてくれば、全国の中小企業はもっともっと元気になっていくことでしょう。

■知財活用の継続には「体制作り」が必要

さて、知財の活用にあたってキモとなるのが「継続性」です。会社が続いていく限り、新しい製品やサービスの開発に終わりはないはずです。ですから、その時代に見合った製品開発やサービスの向上を、ずっと継続しなければいけません。

では、知財活用を継続的に行うには何が必要かというと、それは「体制作り」ということになります。

中小企業の社長の中には、自身が職人として現場に入って、部下の指導を頑張って行っている方々が多くいます。社長が自ら現場で頑張っている姿を見せることは、確かに社員にとって励みになるでしょう。

しかし、「会社の継続」という観点からすると、社長が現場に張り付いているのは、まずい面もあるのです。

社長といえども、未来永劫生き続けることはできません。会社の何もかもについて、「わかっているのが社長しかいない」となった場合、社長にもしものことがあったら、どうなるでしょうか。経営は傾き、社員が路頭に迷うリスクが高くなります。

特に製品開発に活用している知財が増えてきているにもかかわらず、その知財について理解しているのが社長だけだったという場合、ダメージは甚大になるでしょう。

仮に今すぐ社長がいなくなっても、その会社が生き残り続けられるような仕組みや組織を作っていくことも、社長にとって最も大切な仕事のひとつなのです。

■「事業の継続」こそ、経営者が果たすべき真の役割

B社の会長は御年80歳。社長時代に、ある特許を取りましたが、20年経過して特許権が消滅しました。そこで「また新しいことを考えついた」ということでご相談を受け、特許出願のお手伝いをさせていただきました。

私が心配なのは、高齢であるにも関わらず、会長がいまだに会社の中心的立場にいることです。ナンバー2の社長はもちろんいるのですが、会長がいまだにほとんどすべての実権を握っています。「会長がいなくなったら、この会社は存続できなくなるのでは？」と思ってしまいます。

会長には、自分がいなくなった後の事業の継続ということが、視野に入っていない感じです。周囲の人たちからも同様のことを言われているようなのですが、肝心の会長には届いていません。

いくら特許を取り、製品を売り続けていても、事業を継続できなければ、せっかくの素

晴らしい特許や製品もこの世から消えていってしまいます。それは一企業の損失にとどまりません。日本という国の損失でもあります。

「事業の継続がいかに重要であるか」を、経営者の方々にぜひご理解していただければと思います。

POINT

時間とコストをかけて取得した知財をビジネスにつなげていくためには、知財戦略を立てる段階から、「企業の知財パートナー」という意識を持つ弁理士と組むことが望ましい。また、経営者は自分に万一のことが起こっても会社が傾かないような体制づくりを今からしておくべきである。

2 自社の実情に見合った「仕組み」作りのポイント

■自社の経営資源に即した仕組み

一朝一夕で完成できるものではありませんが、会社が組織である以上、社長一人に頼らない体制作りが必要です。

ここでは、自社に合う仕組みや体制について、どのような考え方をすればいいかを説明していきましょう。

図表25に挙げたのは、ある中小メーカーの組織図です。社長の下にナンバー2である工場長がいて、その下に技術部と総務部があります。社員の大部分を占める技術部は、作業ごとにグループ分けされています。

■図表25　中小製造業の一般的な組織図の例

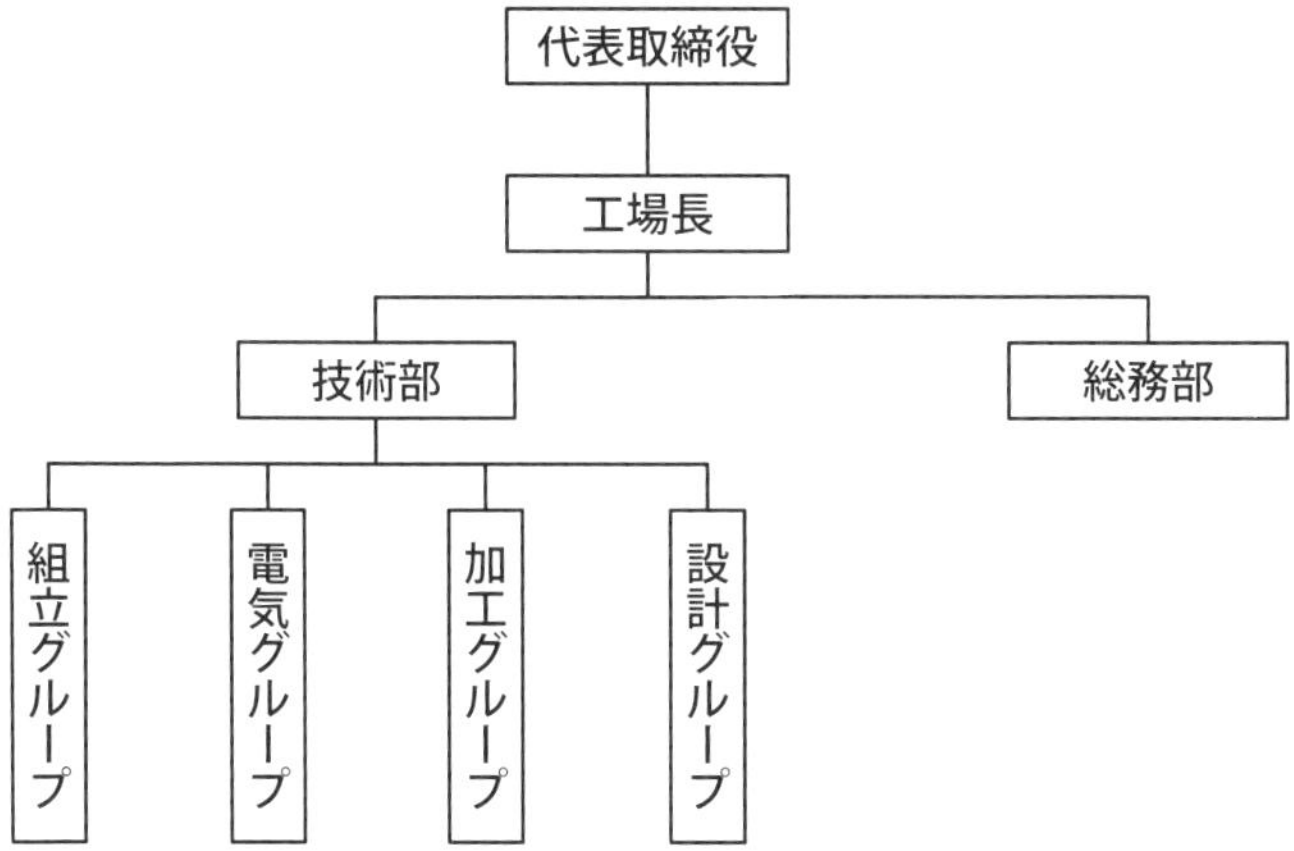

この会社から「今後は知的財産を活用したビジネスをやっていきたい」という依頼を受けて、アドバイスさせていただいたわけですが、組織図を見ていただくとわかるように、この会社には知的財産に関する専門部門が存在しません。実は製造業を営む中小企業の組織は、たいていこのパターンに当てはまります。

では、すでに知財を持っている会社はどうしているかというと、社長がすべてを取り仕切っていて、弁理士とのやり取りも社長が行っているというケースがほとんどです。

しかし、それでは次の時代の知財戦略を担う社員が育ちませんし、知財戦略を行う体制作りもできません。

では、どうするのか？　私は「技術部の担当者のうちの一人に知財担当を兼任させてみてはいかがでしょうか」という提案をしています。この組織図で言えば、おそらく設計グループから様々な技術が生まれてくるはずです。

そういう部署と連携して、様々な発明を引っ張り出してきて、特許事務所との間に立ってパイプ役を務めさせるところから始めるのがいいでしょう。

私の知っている会社では、技術部に社長の子息が入っていて、その方が知財に関する業務を兼任でやっていました。地元の発明協会が主催しているセミナーにも積極的に参加するなど、とても意欲的で頼もしいと思って見ています。

■段階を踏んで仕組みを進化させる

知財の担当者を任命するのは社長の仕事ですが、年齢的には30代までの社員の中から選ぶようにするのがいいでしょう。やはり若い社員のほうが頭が柔らかく、物事の吸収も早いからです。それまでずっと現場で職人的な仕事をしていた40～50代のベテラン社員に、「今日から知財の仕事も担当してもらいたい」と言っても、なかなか意識を切り替えられないでしょう。

知財の担当者が決まったら、その人には「リエゾン活動」をしてもらいます。リエゾン活動とは、研究開発部門と円滑なコミュニケーションをとったり、社内（主に社長）から「こういうやり方で技術開発をしたい」という要望が出てきたら、それを深掘りして、それのどこが発明につながりそうかを見極めていくといった業務を行うことを言います。私も会社員時代、知的財産部門に配属された当初はリエゾン活動を担当していました。

社内に一人、そういうことができる人材を置いておくことは、非常に重要なことです。

■外部のコンサルタントを活用する

とはいえ、知財に関してまったくの未経験者が、たった一人でそのようなリエゾンの業務を担うのは、荷が重いことでしょう。そこで活用していただきたいのが、外部の知財コンサルタントです。

知財に関するコンサルタントといえば、一般には弁理士が頭に思い浮かぶでしょう。しかし、弁理士の資格を持っている人なら誰でもいいというわけではありません。

同じ弁理士でも、会社など組織の中で知財に関する広範な業務を担当していた経験を持つ人であればいいですが、特許出願代理だけをしてきた弁理士に組織作りのアドバイスまで依頼することは荷が重いのではないでしょうか。やはり組織の中で知財に関する様々な経験を積んできたコンサルタントを活用するのがベストです。

では、どうすればそのようなコンサルタントを見つけることができるのでしょうか。おそらく一番接点を持てるのは、各地域の発明協会ではないかと思います。

公益社団法人発明協会は、特許庁の外郭団体で、全都道府県に存在します。そこには企業出身のアドバイザーがいるので、相談に乗ってもらうといいでしょう。

また、前の章でご紹介した独立行政法人中小企業基盤整備機構にも、経営支援アドバイザーがいて、知財の仕組み作りの相談を受け付けています。

■開発部隊直結→営業部隊との連携

次に、会社の成長度に合わせて知財担当者をどこに配属させるかについてお話しします。

知財担当者が技術部門におけるリエゾン活動をメインにしている段階では、外部のコンサルタントの力を借りながら、まずは将来ビジネスになるような発明を、技術部門や開発部門から引っ張り出してきて、特許を取ることをメインの活動にします。つまり、知財を生み出すための武器を作るわけです。この段階では、知財担当者は開発部体に直結した立場です。

その後、製品開発と製造販売が軌道に乗り、社内における知財活用の重要度が高まってきたら、次に知財担当者は営業部隊との連携を取るようにします。

なぜなら、「知財をどのように使ったらお客様のニーズに合った商品開発ができるか」について、営業部隊と一緒にマーケティングする必要があるからです。

知財をどれだけ活用できるかは、「営業部隊のニーズをどこまで引っ張り上げることができるか」にかかっていると言っても過言ではありません。

このように、会社の成長に伴い知財担当者の役割には広がりを求められます。中小企業の場合、当面は一人の社員がその重責を担うことになるので、どうしても外部コンサルタントのバックアップが必要かと思われます。

■最終的には、経営と直結させる

知財部門としてさらに成長していくと、今度は経営と直結する部署の中に入っていくことになります。つまり、知財の重要度が上がってくるということです。

たとえば、経営企画部の中に入り、経営者と直接やり取りしながら事業戦略と知財戦略を練り、それを各実行部隊に指示して動かしていくという形です。

大手企業においても、知財部門の立ち位置は様々ですが、特に知財を積極的に経営資源として活用している企業は、だいたいこのパターンで、経営のツールとして知財を活用する目的から、経営企画部門の中に知財部門を置いています。

たとえば、全世界に工場を持ち、その工場の各部門で発明の発掘・開発を個別に行っているような場合、それを統括する部門は本社にあることが一般的です。

会社の成長の段階に応じて、そんなふうに知財部門の組織のあり方が変わっていくということにご留意ください。

よく「組織は戦略に従う」と言われます。会社に明確な戦略があり、それを実行していけばどういう組織になるかというのは、おのずと決まってくるということです。

■誰がやっても同等の効果を得る仕組みにする（マニュアル化）

知財部門が成長するにつれて、人員は増えていきます。また、人員の入れ替わりもあるでしょう。

そんなときのために、知財に関する業務マニュアルを整備しておくことが大切です。これも知財担当者一人で行うよりも、知財に詳しいコンサルタントのアドバイスを受けながら作っていくといいでしょう。

業務マニュアルに書いておくべき主な内容は以下のとおりです。

①業務フロー

まず基本的な知財業務のフローがどういうものかについて定め、次にそれぞれの業務の内容を具体的に書いていきます。たとえば、発明発掘から特許出願完了までに、どのような業務をいつ、誰がどのように行うかを決めていきます。

②知財管理の方法

知財取得にかかった費用、およびそれがいつ発生したのか、要するに予算と実績の管理の仕方についてマニュアルで定めておきます。また後述する知財の維持管理についても決めておきます。

③報奨制度

発明者となった社員に対し、会社として与える報酬の金額についても決めておきます。いくら払うのか、およびその計算根拠、支払方法（一時払いなのか、年1回払うのかなど）を社内規定で決め、運用していきます。これについては次項でもう少し詳しく説明します。

④交渉業務

他社との交渉が必要になった場合に必要な業務について記載します。

作成したマニュアルは、全社で共有するようにしましょう。社内に対して、「うちの会社はこれから知財に力を入れていく」というアピールになりますし、知財の活用にはお金が絡んでくるので、開発部門や営業部門だけでなく、総務部門や財務部門にも周知させておく必要があるからです。

POINT

知財戦略のための体制づくりは、まず技術部の中に知財の担当者を一人、兼任で置くことから始める。そして、「リエゾン活動」など徐々に活動範囲を広げさせていき、営業部隊との連携を経て、最終的には経営企画部など、経営と直結する部門にまでもっていく。

3 「知財」製作者（開発者）へのフォローは、モチベーション向上につながる

■視点を変えて……収益を生む知財の製作者には？

一般的な中小企業では、社長自身が知的財産を創り出しているのが現状です。

しかし、これからの時代は、設計開発者はもちろん、場合によってはデザイナー、コピーライターなどのクリエイティブ人材を育てることが必要になってきます。

そして、これらの社員が知的財産を生み出すようになり、その知財を用いた商品やサービスによって会社が利益を得られるようになったら、会社として、製作者（開発者）に対して何らかのインセンティブを与えることが必要になるでしょう。

そこで求められるのが、社内における知財の製作者（開発者）をフォローできる「職務

発明制度」です。これを整備することが、経営者にとって重要な仕事ではないかと私は思います。

■法律上の要請（職務発明）

特許法35条3項では、「従業者等がした職務発明については、契約、勤務規則その他の定めにおいてあらかじめ使用者等に特許を受ける権利を取得させることを定めたときは、その特許を受ける権利は、その発生した時から当該使用者等に帰属する」と規定されています。これは、「職務発明制度を作り、その中で職務発明は会社が特許を取得する旨を定めたらその規定に則って生まれた会社の発明は、会社のものにしてよい」という意味です。また、発明をした社員は、その発明を会社が自社のものにする見返りとして、対価を受け取る権利があることも定められています（図表26）。

しかし、実際にはこの職務発明をめぐって、会社と開発者の間でトラブルが発生することは珍しくありません。

会社と開発者が特許で争った裁判というと、2001年に青色LEDを職務発明した中

■図表26　職務発明制度

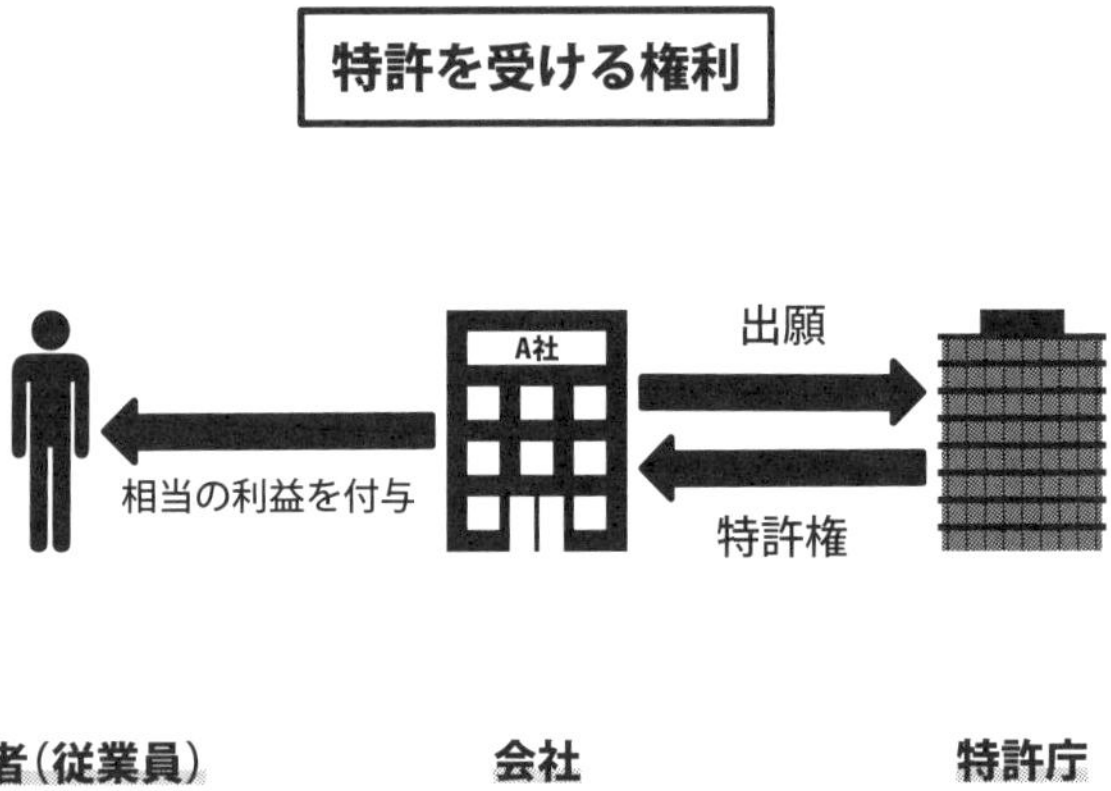

出典：東京都知的財産総合センター「中小企業のための職務発明制度改正対応の手引き」

村修二氏と日亜化学工業の特許訴訟を思い浮かべる方が多いのではないでしょうか。

原告である中村氏は、自身が開発した青色LED製造の特許によって会社が多額の利益を得たにもかかわらず、自身への報奨金がわずか2万円だったことを不服とし、退職後に訴訟に踏み切ったのです。

結果的に会社側が6億円（延滞金を含めて約8億円）を支払うことで、和解が成立しましたが、この裁判は発明対価訴訟の象徴的なものとなりました。

あまり知られてはいませんが、このような職務発明に関する訴訟は、他にもいくつも起こっています。

職務発明を巡って訴訟まで発展することも

十分に考えられることなので、発明者である社員が納得し、次の発明への意欲を高めてもらえるような制度を作っていくことが大切なのです。

■職務発明規定案の作成

前述したような無用な争いを未然に防ぐために、職務発明規定案を作っておいたほうがいいでしょう。内容は、たとえば以下のようなことです。

・社員が作った職務発明は、会社に届け出る義務がある
・社員が作った発明を特許出願するかどうかの判断は、会社が行う
・特許を出願した場合、発案者である社員に、いつの時点で、いくら支払うか、を決める

作成した職務発明規定案は、社員にも周知し、協議の上、合意形成をします。社内のネットワークがあるのであれば、そこに掲示するといいでしょう。

また、必ずしも社員全員に周知させる必要はなく、社員の代表でよいので、労働組合がある会社なら、組合の委員長と協議を行って合意を得るという方法でもかまいません。開発に携わっていない社員にはピンと来ないことが予想されますが、技術や知財に詳しい社員であれば、「この金額では少ない」と言ってくる可能性があります。だからこそ、そういう社員も含めて協議をしておかなければいけません。

■知財製作者へのインセンティブが、次の「有益な知財」を生む

私のクライアントの中にも、若い開発者を採用して特許の取得を目指している社長がいます。「新規商品の開発をずっとやり続ける」というビジョンを持ち、若手の育成をしながら知財の活用をしていくという方針です。

しかし、まだ職務発明規定を作成しておらず、早急に取りかかろうということになり、各部門のリーダー格の社員に集まっていただき、規定の作成ポイントについてお話しさせていただきました。

現在、すでに規定を作り終えて、社内に周知させている段階だそうです。社員にインセ

ンティブが出て、知財活用が活発になっていくことが待たれます。

私がかつて所属していた企業では、職務発明規定の中に「実績補償（特許を活用している製品の売れ行きに応じた金額を発明者に支払う）」制度があり、年間約数十万円程度の金額を受け取っていた社員もいました。製品が売れている間はずっと受け取り続けることができるので、当然インセンティブは上がります。

会社に貢献できる特許を作ることでインセンティブが上がると、社員は俄然やる気を出すものです。

会社がちゃんと「社員に利益を還元している」という姿勢を見せるだけでも、社員の考え方は違ってくるでしょう。

POINT

社員に知財を開発させる場合、「職務発明」制度について、経営者が明確な方針・ルールを定めておくことが不可欠である。開発者との間の無用なトラブルを防ぐためにも、制度の周知は拙速であってはならない。むしろ開発者のモチベーションを上げるための手段としたい。

4

「知財」は鮮度が大事
～維持管理～

■知的財産における期限管理と収益・費用

特許管理業務では、予算管理とともに期限管理をしていくことも大切です。特許を出願してから実際に特許権を取得するまで、いくつか管理が必要なタイミングがあります。図表27に特許出願から登録までの大まかな流れと費用（印紙代のみ。弁理士に支払う手数料や報酬は別）を示します。

まず出願審査請求です。これは特許庁に出願審査を依頼する手続きです。審査請求は出願してから3年以内に行わなければいけないので、忘れないようにしなければいけません。そのため、たとえば出願から1年後に審査請求をするかどうか検討することを、業務フ

■図表27 特許審査の流れ

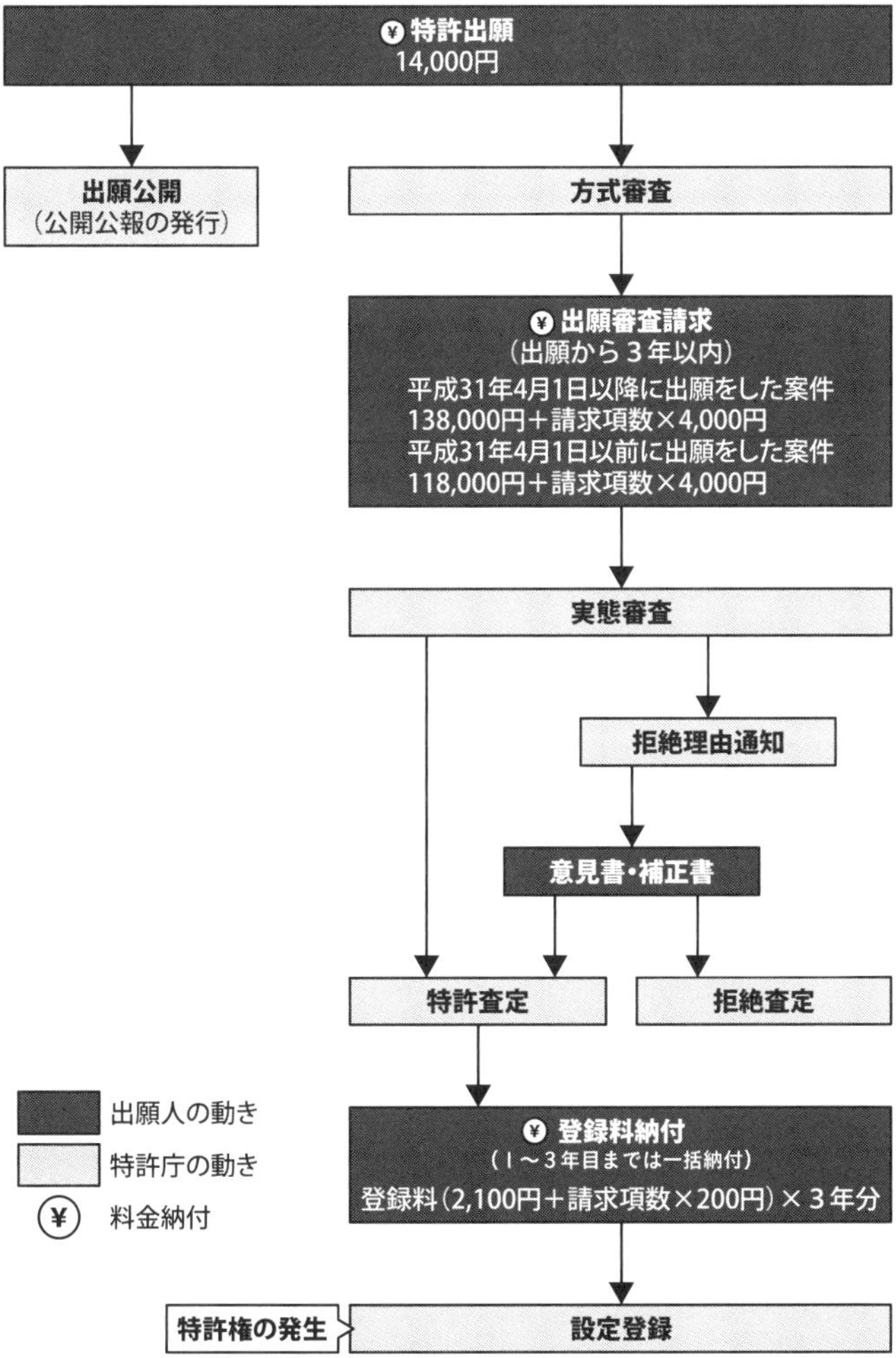

出典：特許庁ホームページ

ローに入れておいたほうがいいでしょう。

さて、特許を取得する過程でもう一つ重要なことがあります。「審査」というからには、当然、特許権が認められない場合もあります。そのときに特許庁から来る通知が「拒絶理由通知」です。

これを放置すると、拒絶されたまま（特許権を認められないまま）になってしまうので、拒絶理由の中味を検討しなければいけません。

「新規性欠如（すでに出ている技術情報と同じ）」とか「進歩性欠如（その技術情報から容易に発明できる）」という理由で拒絶された場合、特許庁は必ず根拠となる技術文献を示してくれるので、それと自分たちが出願した特許の内容を比較します。

拒絶理由に対してどのように反論ポイントを見つけていくのかが大事です。すでに出ている技術と、自分たちが出願している技術が一致している部分と、異なる部分をピックアップし、その違いの重要性を説明します。

そして、特許庁に対する反論として、「意見書」を提出します。「審査官のご判断には◯◯という理由で承服できかねるので、もう一度審査してほしい」という形で提出するものです。

これは大変重要な作業です。書き方はもちろん大事ですが、それ以上に私たち弁理士は出願をした人とのコミュニケーションをとても大事にします。「特許庁からこんな文献が来ましたけれども、御社が開発した技術との違いはどこにありますか？」ともう一度、ヒアリングし直すのです。その上で、「ここがこう違う」というポイントを明確にして、書類に落とし込んでいきます。

社内に力量のある知財担当者がいる場合は、社内で書類を作ることも不可能ではありません。最初のうちは弁理士にサポートしてもらいながら作り、スキルを養っていくのがいいでしょう。

また、開発者は技術職で一般に口下手な人が多いので、知財担当者が弁理士との橋渡しの役割を果たすことを求められる場合もあります。

最後に費用管理について少し触れておきます。「費用管理」という点では、知財を出願してから取得するまでの先行投資が必要であり、お金がかかるので、最初に年間にどれくらいの費用をかけて知財活動を行うか、年度の初めに予算を立てるようにするといいでしょう。また、予算と実際にかかったお金の比較も費用発生時に毎回行うようにします。

■知財に関する書類のまとめ方

知財に関する書類は、角2サイズの封筒に「知的財産管理シート」を表紙代わりに貼って管理すると便利です。私は特許出願1件ごとにこの方式で管理しています。

封筒でなく、バインダーにファイリングする方法でも、もちろんかまいません。どんなかたちでも自社のやりやすい方法でけっこうですが、必ず守っていただきたいのは「出願1件ごとにまとめて管理する」ということです。

また、「データベース化して検索しやすくする」という意味でも、あるいは「地震や火事、津波などの天災で消失した場合に備える」という意味でも、可能な限りバックアップを取ってデジタルで保存しておくようにするべきです。

過去に取得した特許を活用する際、自社にどんな特許があるかをいちいち紙で調べるよりも、データベースから探すほうが効率は格段によくなります。まだ特許の数が少ないうちから、デジタル化する習慣を持つのは非常にいいことだと思います。

現在は、会計ソフトのように、特許を管理するためのソフトも市販されています。将来的に「たくさん特許を取っていく」というビジョンがあるのなら、購入を検討してもいいでしょう。たとえば、「特許帳Ⓡ」という特許管理システムがあります。ご興味があれば検索してみてください。

なお、デジタル化していない状況で天災に遭い、特許関係の書類が消失した場合、手続きを特許事務所に依頼しているのであれば、書類のバックアップを取って保管しているはずなので、コピーをもらうことができるでしょう。ただし、基本的に自社の知財に関する資料は自社で管理すべきであることは言うまでもありません。

POINT

知財は取得時だけでなく、維持するにもコストがかかるので、コスト感覚を持つことは重要である。また、知財に関する資料は「出願1件ごとに1つのファイル」で整理することが望ましい。検索性や万一の際の消失に備えて、デジタル化して保存することが望ましい。

5 すべてが完成したとき、会社は変わる

「ヒト」「モノ」「カネ」「情報」すべてが変わる

ここまで述べた「知財戦略2・0」を実行し続ける体制を確立することができたら、会社は必ず変わっていきます。第2章に示した図表11を再掲しますが、社長が「こうありたい」と思い描いたビジョンに近づき、到達することができるでしょう。そのとき、会社の「ヒト」「モノ」「カネ」「情報」のすべてが変わっているはずです。

数字の面では、営業利益率や純利益が上がっていきます。

組織の面では、インセンティブが上がり、社員のモチベーションもアップして活性化していくでしょう。体制作りがうまくいき、ＰＤＣＡ（Plan 計画 → Do 実行 →

■図表11　ビジョンとは

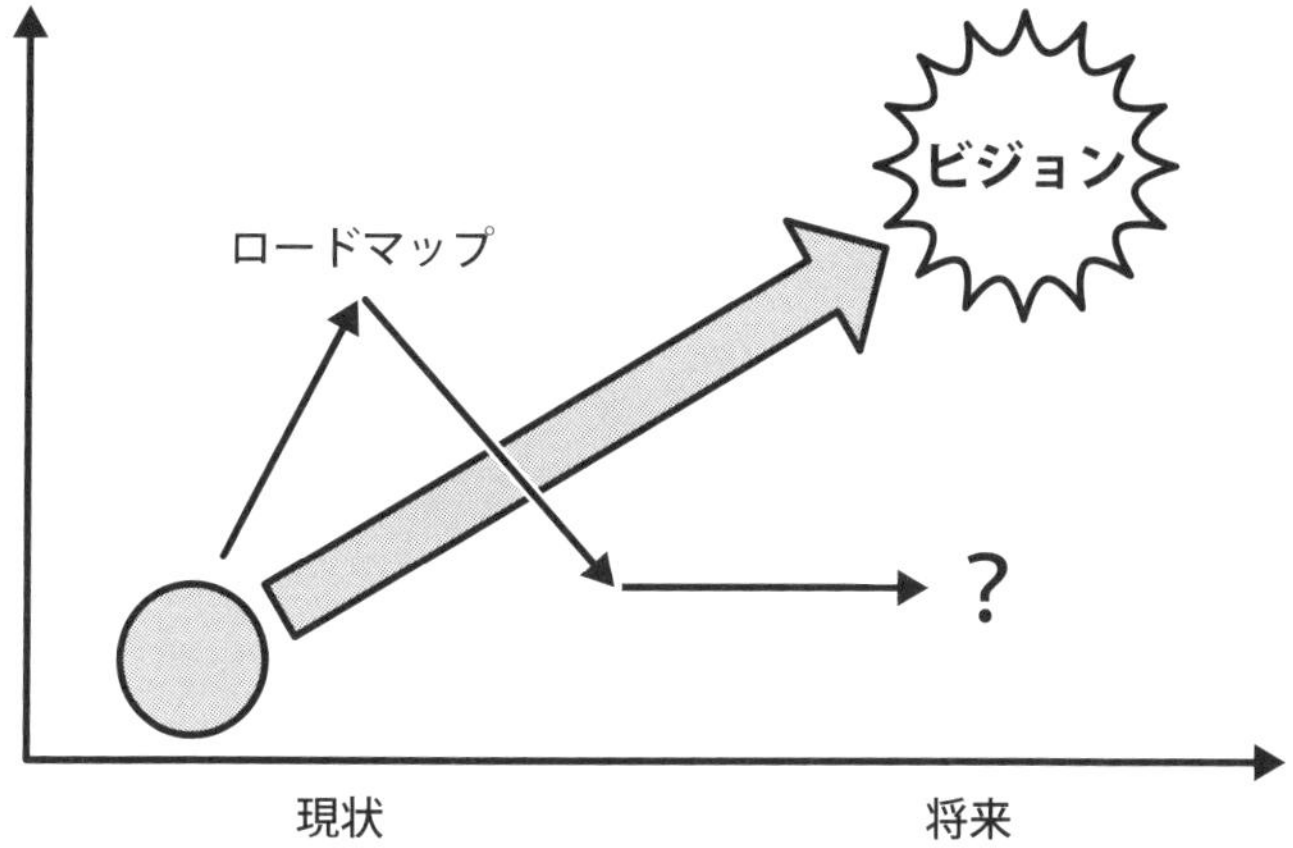

Check 評価 → Action 改善）サイクルがしっかりと回っていく状態になります。

なお、弊社では「3ステップによる知財活用のコンサルティングプログラム」により、中小企業の支援を行っています。その体系図を図表28に示します。

■成果が出るまでには、根気も必要

ただ、変化するには、ある程度時間がかかることは覚悟してください。

「知財戦略委2・0」で特許の取得と活用を実現させるのは、間違いなく長丁場になります。1年程度ではまず結果は出ないでしょう。社長にも社員にも辛抱強さが求められます。

■図表28　3ステップによる知財活用のコンサルティングプログラム

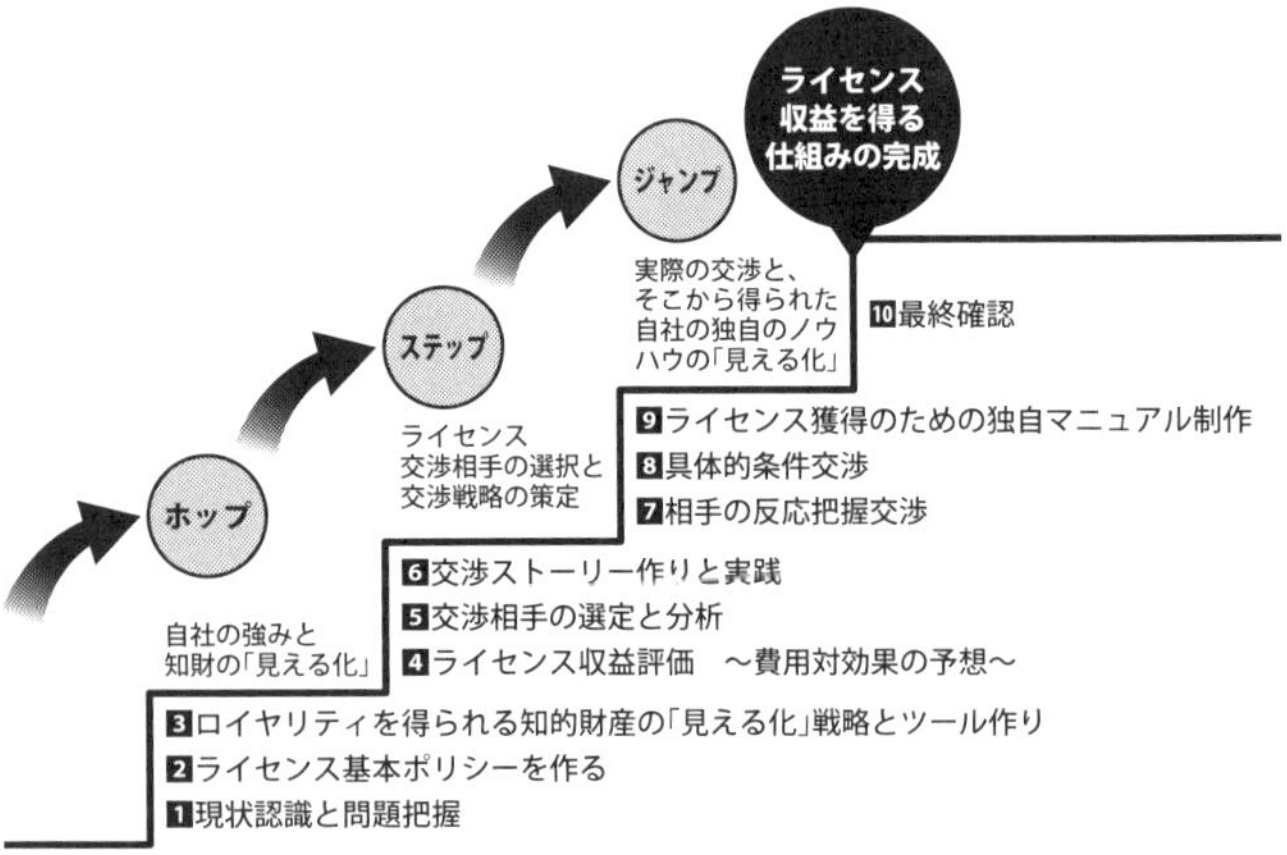

3年間は努力と研鑽を積むつもりで取り組む覚悟を持ちましょう。

その間、何が起こるかはわかりません。たとえば、リーマン・ショックのような金融危機、地震・津波・水害などの天災、そして2020年前半に世界中を震撼させている新型コロナウィルス感染症のような、誰も予想もできず、またこれまでの知見で対処できないような事態が今後も発生する可能性は否定できません。それによって経営環境の激変も起こりうるでしょう。その一方で、AI（人工知能）やIoT（モノのインターネット）の発達により、イノベーションの進歩もさらにスピードアップし、消費者の嗜好もめまぐるしく変わっていくでしょう。

それらのリスクに対応し、荒波を乗り越えつつ会社の経営を行うことはまさに至難の業ということになりますが、あきらめたらそこで終わりです。

当事者間の意識のベクトル合わせも含めて、常に「外部環境がこんなふうに変わった。次はどうしていこうか」と戦略の見直しと修正をしながら継続していきましょう。

POINT

「知財戦略2.0」が実現したとき、社内の「ヒト」「モノ」「カネ」「情報」のすべてが変わる。しかし、それは経営者と社員の不断な努力と忍耐の結果である。世の中の不確実性がさらに高まることが予想されるこれからの時代、知財戦略も絶えず見直しと修正が求められる。

COLUMN

知財に関する助成金制度

知財に関する助成金制度の一部をご紹介します。内容や条件、申請方法についての詳細は、各制度のホームページでご確認ください。弁理士に相談してみてもいいでしょう。

1 ものづくり・商業・サービス生産性向上促進補助金

中小企業・小規模事業者の設備投資や試作開発等を支援し、生産性向上を図るための経済産業省中小企業庁の補助金です。知的財産に関する経費も補助の対象になっています（http://portal.monodukuri-hojo.jp/）。

2 戦略的基盤技術高度化支援事業（サポイン事業）

「中小ものづくり高度化法」に基づく情報処理、精密加工など、12技術分野の工場につながる研究開発、その施策等の取り組みを支援した補助金制度です（https://www.chusho.meti.go.jp/keiei/sapoin/2020/200131mono.html）。

3 中小企業等海外出願・侵害対策支援事業費補助金

特許庁では、中小企業の戦略的な外国出願を促進するため、外国への事業展開等を計画している中小企業に対し、外国出願にかかる費用の半額を助成しています。

また、意匠においては「ハーグ協定に基づく意匠の国際出願」も支援対象です（https://www.jpo.go.jp/support/chusho/shien_gaikokusyutugan.html）。

〜巻末特別対談〜

知財活用は、
中小企業が持続的に成長するための不可欠な手段だ

髙崎充弘
Mitsuhiro Takasaki
株式会社エンジニア　代表取締役社長

後藤昌彦
Masahiko Goto
株式会社 IP MaaCurie　代表取締役

これからの時代、中小企業にとっての「知財戦略」はどうあるべきか。独自の「MPBP」理論で、ネジ頭がつぶれてしまったネジを外すための工具「ネジザウルス」シリーズを、世界で累計500万丁という大ヒット商品に導いた株式会社エンジニアの髙崎社長と、知財とビジネスについて様々な観点から話し合った。

株式会社エンジニアについて

後藤 どんなネジでも外せる工具「ネジザウルス」シリーズが御社の代表的な商品だと思いますが、まだ知らない読者のために、御社について改めてご紹介いただけますか。

髙崎 当社の創業は終戦からそれほど経っていない1948年です。私の父と叔父の二人が始めました。当時は「双葉工具」という社名で、ねじ回しやラジオペンチなどの工具を扱っていました。現在の社名である「エンジニア」は1957年から商標として使っています。当時は「エンジニア」という一般名詞でも、商標を取れたのです。

後藤 現在は、ラジオペンチなどの工具類以外に、デジタルのテスターやマイクロスコープと組み合わせた商品など、取り扱っているアイテムが非常に多岐にわたっていますね。これは髙崎社長が開発や販売を広げてこられたのでしょうか。

髙崎　そうですね。当社は創業時からファブレスが中心で、現場のお客様のニーズに合わせて様々な部品を調達し、社内で組立を行い「エンジニア」のブランドで販売しています。

失敗を重ねたことで、独自の「ＭＰＤＰ理論」が生まれた

後藤　ご著書『「ネジザウルス」の逆襲』を読ませていただきました。商品開発の現場での苦労話から独自のヒット商品開発の理論まで、非常に興味深かったです。具体的に、御社の商品開発から製造・販売、さらに知財との関係についてお聞きさせてください。まず「ＭＰＤＰ理論」について。これは、売れる商品のポイントを集約すると、「Ｍ：マーケティング（Marketing）」「Ｐ：パテント（Patent）」「Ｄ：デザイン（Design）」「Ｐ：プロモーション（Promotion）」の四つに集約されるという理解でよろしいでしょうか。

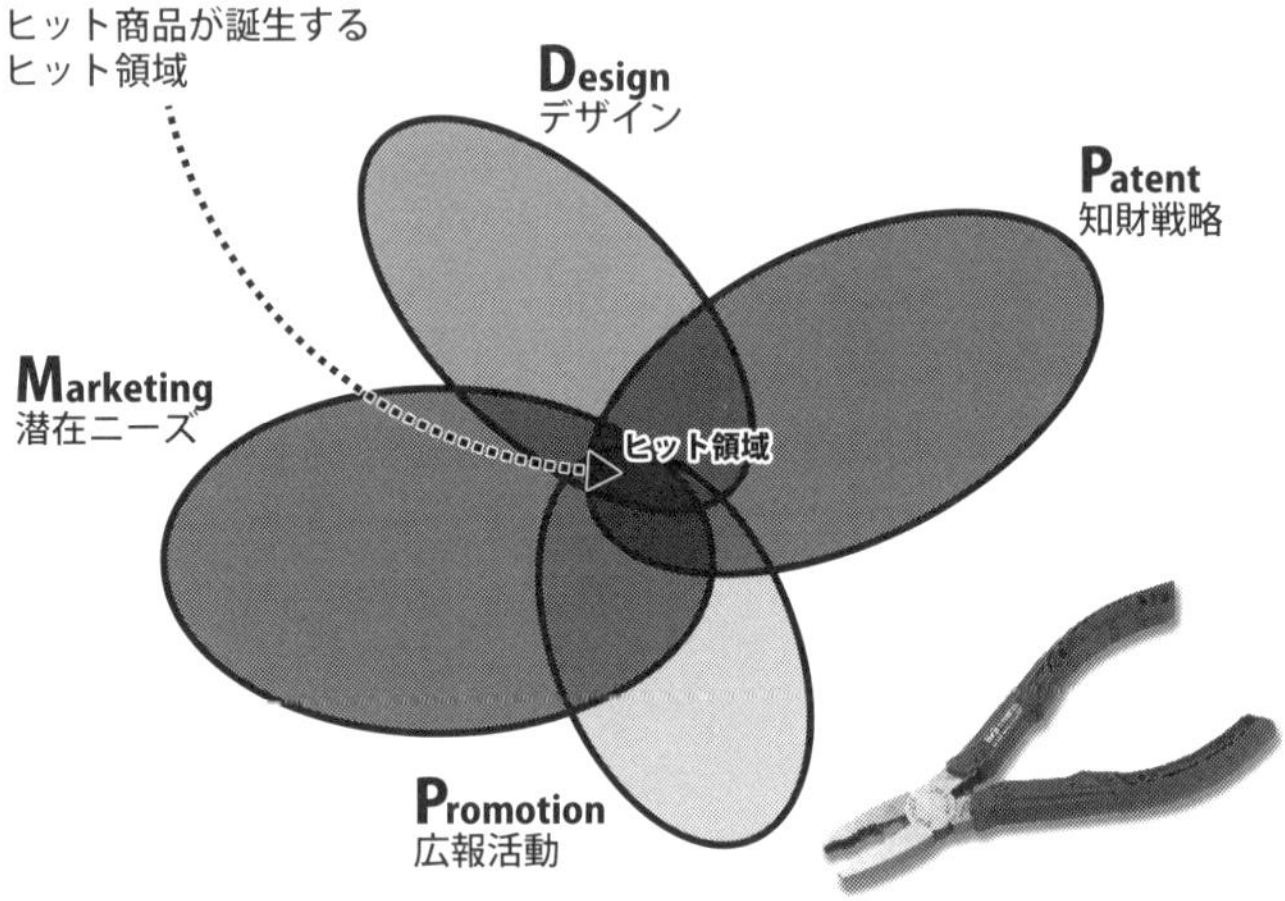

「ネジザウルスGT」

髙崎　そのとおりです。私は大学を卒業して造船会社に10年間勤めた後、父の会社に後継者として戻ってきました。入社してから20年間で新商品を８００種類くらい考えたのですが、どれも鳴かず飛ばずで、「なぜ売れないんだろう」とずっと悩んでいたのです。その後、業務用の初代「ネジザウルス」がそこそこ売れたものの、二代目三代目を出した後、２００８年にリーマン・ショックが起こり、大赤字を計上してしまいました。しかし、「一家に一本、ネジザウルス」というコンセプトで家庭用に改良した四代目の「ネジザウルスＧＴ」が、予想をはるかに上回る大ヒットとなり、V字回復することができました。20年間ずっと「何が足りないのか」と自問していたことについて、三代目と四代目の差に注目してみたところ、「M」「P」「D」「P」という4つのキーサクセスファクターが必要十分条件であると、ようやく腑に落ちたんです。

後藤 なるほど、失敗を積み重ねたことによって、成功のポイントを突き詰めることができたということですね。髙崎社長が、失敗体験から、成功のための独自のフレームワークや理論を自ら構築されたことは、多くの中小企業経営が学ぶべきことだと思います。

MPDP①「M」(マーケティング)について

後藤 それでは、MPDP理論について、ひとつずつお話をうかがいます。最初にマーケティングの「M」が来ている点がポイントだと思いました。お客様の様々なニーズを拾い上げるためにアンケートをとる際、「少数意見の中に潜在ニーズが隠れている」ということをご著書で書かれていますよね。アンケートをとったら、どうしても多数意見に飛びつきたくなると思うのですが、少数意見の中から潜在ニーズを見つけるために、どのような考え方をされているのでしょうか。

髙崎　まず「誰に対する潜在ニーズか」を決めることです。マーケティングの基本理論に「STP（セグメンテーション、ターゲティング、ポジショニング）」がありますが、「誰に売りたいのか」を考えないままマーケティングをやっても無意味ですね。町の発明家ならともかく、プロの経営者がそれではまずい。だから、最初に「ターゲットは誰か」というセグメンテーションを行ってから、市場調査をして、潜在ニーズを掘るということです。私は、「プロダクトアウトとマーケットインの融合」が潜在ニーズを捕らえるのにいちばんいいのではないかと思っています。

後藤　「プロダクトアウト」とは、まず製品ありきの、いわば大量生産・大量消費の時代の発想ですよね。一方、「マーケットイン」とは、市場、すなわち顧客の声を聞くことから始めるということで、現代主流となっている考え方ですね。

髙崎 はい。ただ、顧客の声を聞くこと自体はいいのですが、どの会社も同じような市場調査を行って同じような顧客の声を聞いて、「これ、きっと潜在ニーズじゃないか」と思って商品化しても、結局、同じような商品が生まれるだけだと思うのですね。時代の流れとしては、確かにプロダクトアウトからマーケットインですが、単なるマーケットインで商品を開発しても、自社の独自性が全然出ないことに気づいたんです。

後藤 「プロダクトアウトとマーケットインの融合」とは、具体的にはどのようなかたちで進められているのでしょうか。

髙崎 当社には、2歳児の頃からやすりがけで遊んでいたような工具オタクの開発部員がいるんですが、彼が「社長、こんな工具があったらいいなと、昔から思っていたんですよ」とよく言ってくるんですね。それはある意味、「プロダクトアウト」です。

しかし、それを聞いた私が営業部員に指示して、「お客さんのところに行って、意見を聞いてこい」と市場調査させるわけです。すると、ニッチな潜在層の人たちの中から、「これ、いいね」という反応が返ってきます。つまり、プロダクトとユーザーの声がマッチしたところが潜在ニーズの地下水脈になって、吹き出していくイメージです。

後藤　会社が持っている強みを活かせる領域で勝負しなければ、いくらマーケットインの発想で開発しても、本当に売れるものは生み出せないということですね。

髙崎　とくに中小企業の場合、マーケットインの発想だけではいけないと思っています。日本の全企業の99・7％を占める中小企業の社員のこだわりの中にこそ、大企業に負けないアイディアの種があるのです。もちろん個人の思い込みで突っ走ってはだめなので、そこはマーケットインとうまくすり合わせしなければなりません。一手間二手間余計にかかりますが、それが正攻法だと思います。

後藤　私もすごく共感できるお話です。多くの中小企業は社内にいい人材やアイディアなどの知的資産があるのだから、ぜひ活かしてほしいですね。

MPDP②「P」（特許）について

後藤　次に「P（特許）」についてお聞きします。特許を取る目的として、他社から訴えられないようにする、自社の技術力をアピールする、ライセンス供与する、他社の力を借りて連携していくなど、様々なパターンがあると思います。特許について、御社がいちばん意識していることを教えていただけますか。

髙崎　守りと攻め、両方の視点が必要ですが、「権利が取れて守られているからこそ、攻められる」という意味では、両者は一体化していますね。「守りつつ攻める」というのが当社のスタンスです。早い者勝ちの世界なので、「これは！」という考案が生まれれば、当然他社に取られる前に特許を取るようにしています。かといって、闇雲に出願してもコストがかさむだけなので、厳選した上で早めに特許を取る。製品化した時点で排他権を主張できるので、特許に関しては、他社が参入できないエリアで自分たちの商品を定着させていくというイメージですね。

後藤 かつて大企業では、お金と人材を投入して、自社で製品化しないけれども他社に取られたくないためだけで特許を取ったりしていました。しかし、中小企業で同じことをするのはすごく無駄ですよね。御社の中は、これは特許にすべき、特許にしないという、線引きを設けられているのでしょうか。

髙崎 もちろんです。明文化しているわけではありませんが、私や開発チームの頭の中にある特許出願の共通認識は「製品化する」です。ただ、特許申請せずに先使用権が認められるような条件で、「当社ではこれをもうすでに考えていましたよ」ということを、図面にして日付を入れるなど、記録に残そうとはしています。また、プランAで製品化するので、プランBはとりあえず特許を取らないでおこうという場合でも、プランAの明細書の中にプランBの部分を入れておくことで、権利化しなく

ても、他社が特許化することを防げるようなことをしています。

後藤　実際の製品化以外の実施例を織り込んで、特許の権利範囲を広げた形で押さえていくということですね。ところで、社内でアイディアを募る場合、ブレーンストーミングなど、アイディアを広げるための活動をされているのでしょうか。

髙崎　ブレーンストーミングという言葉は使わずに、「三人寄れば文殊《もんじゅ》の知恵」という諺《ことわざ》から、「ミニ文殊」とか「ボケ文殊」という会議を社内で奨励しています。「さあ、今から会議をやるぞ」というかしこまった雰囲気ではなく、「ちょっと来てくれないか。これ、どう思う?」のような軽いノリで話す感じです。「ミニ文殊」が「これについてどう思うか、ちょっとアイディアを出して」とある程度実現可能なアイディアのための場であるのに対し、「ボケ文殊」は「こういうテーマがあるんだけど、絶対実現できないようなアイディアをちょっと出してみて。ぼけたもん勝ちだから」という、「絶対に無理なアイディア」を考えるための場です。

後藤 変な縛りをなくすと言いますか、自由な発想をするための雰囲気作りですね。

髙崎 はい、最近やっているのは「フライデーラボ」といって、ちょっとした試作ができる開発室を作り、毎週金曜日の午後1時半から夕方まで行う「ミニ文殊」です。明日は土曜日ということでリラックスした雰囲気の中で、面白いアイディアが出たら、「ちょっとそれ作ってみて」とその場で試作させるんです。

後藤 なるほど、実際に現物を作ってみたら、イメージがつかみやすくなりますね。

髙崎 最近日本でも「デザイン思考」が注目されていますよね。①顧客からいろんなことをヒアリングしてきてから右脳と左脳でブレーンストーミングをやる、②試作品を作る、③再度顧客に見せてフィードバックをもらう。この三つのプロセスを回すことがデザイン思考だと私は理解しています。我々はそれに近いことをやると同時に、アイディアが出たらその場ですぐJPP（J-PlatPat）にアクセスして、他社が権利化していないかどうかチェックするんです。せっかくいいアイディアが出たと思ったのに、後で「すでに特許出願されていました」となったら、無駄ですから。

後藤 私も、自社の特許出願と同じくらい、他社の先行技術調査は重要だと思っています。このような特許の調査は、髙崎社長や開発部の担当者が勉強されてやっておられるのでしょうか。

髙崎 はい、当社の場合、知的財産管理技能検定の2級あるいは3級の資格を社員の半数が取得しており、特許出願の有無から出願された特許と拒絶された特許の違いなど、誰もがJPPを見てわかるようにしています。

後藤 その技術についていちばん深く理解しているのは、現場の開発者のはずなので、その方が特許の知識を身につけて、特許調査をできるようになったら鬼に金棒ですね。ところで、御社にも職務発明の報奨制度があると思うのですが、開発者のモチベーション向上につながっているとお感じになられますか。

髙崎 当社の就業規則には「知的財産権」という章立てがあり、社員が職務上なした発明に関しては、権利が会社に帰属する代わりに対価を支払うと書いています。対価については、具体的に、出願のときにいくら、登録されたときにいくら、国外の場合は登録になったときのみ払うなどと、細かく規定しています。また、「ＭＰＤＰ」という言葉も使って、ＭＰＤＰに対する実質的な貢献度合いに応じて、昇給・昇格・賞与などでフィードバックするようにしています。それから、アメリカのクアルコム社に、会社が所有する特許がすべて貼られている壁（パテントウォール）があるという話を聞き、当社では「ＭＰＤＰウォール」ということで、特許証だけでなく、グッドデザイン賞や海外のデザイン賞の表彰状も貼っています。これはすべて社員の開発へのモチベーションを上げるためです。

ＭＰＤＰ③ 「Ｄ」（デザイン）について

後藤 グッドデザイン賞の話が出ましたが、御社の商品はお客様が使いやすい工業デザインであることが、製品を販売していく上で大きなポイントになっているのでしょうか。

髙崎　私も以前、デザインについて、形や色の違いで売上がそんなに変わるものではないだろうと思っていました。リーマン・ショックの後、「ネジザウルスＧＴ」を出したとき、背水の陣の思いで、デザインも一生懸命考えました。結果、いいものができたので、試しにグッドデザイン賞にエントリーしてみたのです。エントリーの書類を書くとき、「御社の商品は、どのような人たちにどのようなベネフィットを与えるのか」とか、「地球環境に対して、どのような貢献をしているのか」について書かされたのですが、「デザインをやっている人って、ここまで深くデザインを突き詰めて考えているんだな」ということがわかったのです。あるいはグッドデザイン賞の発表会で、プレゼンターのお話を聞いたとき、「デザインとは単なる色や形のことだけではないのだ」と、自分の中でデザインの位置づけが変わりました。

MPDP④「P」（プロモーション）について

後藤　MPDPの最後「プロモーション」についてお聞きします。私は、このプロモーションが、中小の製造業でいちばん弱い部分のひとつだと思っています。私が支援させていただいている会社の中からも、技術力はあるものの、販売ルートの開拓や販売方法がわからず広告をうまく打てないとか、せっかく展示会に出展しても商談に進まない、という悩みをよく聞いたりします。御社では、「ネジザウルス」の広告宣伝について、とくにこうしていこうと思ったことはありますか？

髙崎　成功のいちばんのポイントは「ネジザウルス」という非常にいいネーミングができたことだと思っているんです。ネジをつかむ部分が恐竜の頭の形に似ているということで、初代からこの商品名なのですが、ネーミングだけでなく、形にも恐竜らしさを出すようにしました。次に「ネジザウルス」のキャラクターをつくったところ、今度はゆるキャラブームが起きたので、三次元の着ぐるみ「ウルスくん」をつくり

ました。基本的にお金をあまりかけないかたちでプロモーションを行っています。「ウルスくん」の四コママンガをユーチューブにアップしたところ、結構人気が出ています。

後藤 今は多額の宣伝広告費をかけなくても、各種SNSサービスや動画配信サービスなど無料で広告宣伝できるツールがたくさんありますから、中小企業がそれらをどう使っていくかは、一つのポイントになりますね。しかし、キャラクターを使って宣伝していくという発想は、それまで工具業界にはなかったのではないでしょうか。

髙崎 ヒントとなったのは、10年ほど前、経済産業省が大阪で開催した「キャラクターのビジネス活用」セミナーで、ダイキン工業の「ぴちょんくん」という水滴をモチーフにしたキャラクターを開発した方の話です。あのキャラクターのおかげで他の大手家電メーカーのエアコンよりも売上がいいということを聞き、当社も「ネジザウルス」のキャラクターをつくろうと思ったのです。

知財は本当に「金食い虫」か？

後藤　ここまでMPDPの各要素についていろいろお話を聞かせていただきました。私が経営者の方々とお話する中で率直に感じているのが、知財に関して、企業ごとにかなり温度差があるということです。髙崎社長のように知財に詳しく熱心に取り組んでいる経営者がいる一方、知財について、「とっつきにくい、難しい」というイメージを持っている経営者のほうが一般的には多いのではないかと思っています。

髙崎　私もおそらく大半の中小企業の経営者は、知財についてよく知らないし、知っていてもあまりいい印象を持っていないと思います。「特許を取っても、結局、役に立たなかった」、あるいは「知財は金食い虫だ」と思っているんですね。しかし、それは、「知財だけで勝負しようとするから間違いなんだ」と私は気がついたんです。

後藤　確かに、特許をただ取るだけなら、非常にお金がかかります。海外でも取ろうとしたら、100万円単位のお金が飛んでいきますので、その意味では「金食い虫」という見方は正しいですね。髙崎社長がおっしゃる「誰をターゲットにして何を売る、そのためにどんな知財を取って使ったらいいのか」という部分を考えずに、いきなり「特許を取る」という話から始めるからまずいということですね。

弁理士は経営者目線を、経営者は知財の基本知識を

後藤 髙崎社長は経営者として知財を活用されている一方で、中小企業経営者に対して、知財を啓蒙する活動もされています。我々弁理士のような知財に携わる専門家、および中小企業経営者に対して、それぞれ要望やメッセージをいただけますか。

髙崎 弁理士の方には、相談者である経営者の目線まで下りてきてアドバイスをいただきたいと思っています。私は「2階からビール」という表現をよく使います。コップを持った相談者が1階にいるのに、弁理士の先生は2階からビールをついでくる、

つまり専門用語を使って話すので、相談者のコップ、つまり頭の中に何も入らない、入ったとしても泡だらけで意味がない。相談者としては「もう、いいですわ」と言って帰るか、あるいは弁理士に丸投げするしかない。結局、自分で何も勉強しないから、知財のことはわからないままで終わってしまう。

後藤 なるほど。私も弁理士の一人として、反省しないといけないところが多々あると思います。本気で知財戦略を立てて、製品に活かせる知財を取ったり使いたいという会社には、その社長や開発メンバーが理解しやすい言葉で説明やアドバイスすることが大事だと思います。中小企業経営者に対してはいかがですか。

髙崎 これから起業される方も含めてですが、業種業界にかかわらず、知財の基本的な知識は持っていて絶対損しないので、ぜひ勉強していただきたいですね。知財検定の3級テキストでもいいから経営者が自分で少し勉強してみれば、弁理士の話をよく理解できるし、知財総合支援窓口で受けた「これは特許よりも意匠でいったほうがいいですね」とか、「商標登録も同時に済ませたほうがいいかもしれませんね」といったアドバイスを基に、いちばん経済的かつ効果的な知財ミックス戦略を組み立てられるんです。その段階で、弁理士の力を借りればいい。しかし、そのためには、弁理士の言うことが理解できるぐらいのボキャブラリーを知らなくてはならないですね。経営者が基本的な知財の知識を持っていたほうが、専門家との話も早く進むと思うんですよ。

中小企業にとって、知財の「5速の壁」とは

後藤　今のお話は、1階と2階の間に中2階を作って、経営者と専門家がお互いに歩み寄って距離を詰めるというイメージでしょうか。

髙崎　そうですね。もうひとつ「5速の壁」の話をさせてください。これは自動車のギアシフトを使ったたとえですが、経営者が知財検定を受けると2階（2速）まで上がっていきます。その後は知財総合支援窓口などでアドバイスを受けたりして3階

（3速）、4階（4速）ぐらいまでは、自分たちでレベルアップできます。ところが、これは私の実体験ですが、5階（5速）である海外出願については、各国で制度が微妙に異なるなど、自分たちの手に負えなくなるんです。

後藤 おそらく弁理士でも、全世界の特許制度を理解している人はいないでしょう。現地の代理人と連携しないと無理です。

髙崎 中小企業の経営者にとっては、日本だけでなく、アメリカや中国などでも商品を売りたいわけです。でも、誰に相談していいかわからないんです。特許庁に聞いても、それぞれ特許課、意匠課、商標課というふうに窓口が分かれていて、分野がクロスオーバーしたことについては、教えてくれない。ですから、弁理士の方々にこれから期待することがあるとすれば、この外国出願、しかも知財ミックスする際の「5速の壁」を越えるためのアドバイスです。民間の大手弁理士事務所なら何とかなる気はしますけど、中小企業の場合、費用対効果的に敷居が高いと感じています。

後藤 海外での出願や知財ミックスの話になってくると、我々も海外の知財に詳しい弁理士と連携して、クライアントの希望に応えていくことをやってはいるのですが、まだ十分ではないかもしれません。我々弁理士も常に勉強と人脈作り、連携が必要だとすごく感じています。私の場合、中小企業診断士でもあり、知財以外の中小企業の経営者の広範な要望にお応えすることも必要になってくるとすごく実感しているので、髙崎社長のアドバイスもいただきながら、よりクライアントのニーズに応えるような形で努力していかなければと思います。最後になりますが、今回のコロナのような予測不能の事態が発生する現代において、中小企業にとって知財のもつ意味合いをどうお考えでしょうか。

髙崎 中小企業が大企業と肩を並べることができるのは、やはりアイディアですよね。ある分野にすごく詳しい社員がいるのなら、勝てるチャンスはいくらでもあると思うんです。ですから、みなさんの経験や知恵、アイディアなどを知財として形のあるものにし、世の中に役立つ商品・サービスを、ぜひ日本から発信していただければうれしいです。私も、ＭＰＤＰを粛々と行うことで、「ネジザウルス」の種類を増やすだけでなく、まだ世の中にない、お客様に喜んでいただける新しい工具を作り続けたいと思います。

後藤 本日はどうもありがとうございました。

(対談日 2020年5月11日)

髙崎充弘(たかさき・みつひろ)
1955年兵庫県神戸市生まれ。東京大学工学部卒業後、三井造船株式会社に入社。1983年米レンスラー工科大学修士課程卒業。1987年家業の双葉工具株式会社(現エンジニア)に入社、2004年より社長。2002年に発売した「ネジザウルス」をシリーズ累計500万丁の大ヒット工具に育て上げる。知的財産教育協会「中小企業センター」の初代センター長。経済産業省産業構造審議会の知的財産分科会委員、日本商工会議所知的財産専門委員、公益財団法人日本発明振興協会理事、大阪発明協会常任理事などを務める。文部科学大臣表彰「科学技術賞」(技術部門)、知財功労賞「特許庁長官賞」など数々の賞を受賞、2013年黄綬褒章受章。著書に『「ネジザウルス」の逆襲』(日本実業出版)。

おわりに

令和の時代に入り、医療、ＩＴ、ロボットなど、様々な分野における技術革新がより急速に進んでいます。

そのような中、「知財戦略２・０」と銘打ち、知財の取得から「守り」と「攻め」を意識した活用、それを継続する体制づくりまでの一連のお話を、私自身の経験と知見に基づいてまとめ上げ、微力ながらも中小企業の経営者の方々に活用していただきたいと思ったのが、本書を執筆したきっかけです。

その一方、２０２０年初頭に中国で始まった新型コロナウィルスによる感染症は瞬く間に世界中に広がり、わが国でも4月に緊急事態宣言が発令されるに至りました。５月の連休明けの時点でも感染症の拡大は収まる様子がなく、当初5月6日までとされていた緊急事態宣言も延長されました。この間、あらゆる経済活動が世界的に停止を余儀なくされ、その被害規模は１９２９年の世界大恐慌以来とされます。まさに「１００年に一度の大災害」です。

感染症だけではありません。将来高い確率で発生することが予測される「南海トラフ地震」など、世の中には私たちの力ではどうしようもない「外部要因」が存在します。

これからの中小企業経営者は、そのような未曽有の「外部要因」のリスクともうまく付き合いながら、生き残りをかけて日々経営を行っていかなければなりません。

そして、個人的には、これからの世の中においては、「目に見えるもの」の価値よりも、「目に見えないもの」の価値がより高まってくると考えています。

その一つが、智恵であり、知的財産です。

手前みそになりますが、弊社の企業理念の中に「2　お客様の想い・ビジョンを尊重し、その実現に向けて、お客様と一緒に汗をかきます。」というものがあります。これには「脳みそをフル活用してお客様のビジョンを実現する」という想いを込めています。

苦しいときこそ、理念・ビジョンを見直し、「智恵」「知的財産」を使って乗り越えていきましょう。

最後に、本書の出版に当たり適切なアドバイスをくださり、多大なご助力をいただいた編集担当の田所陽一様、編集協力の堀容優子様をはじめ、総合法令出版株式会社の方々に感謝申し上げるとともに、多忙な時間を割いて対談をしていただいた株式会社エンジニア代表取締役社長の髙崎充弘様に心より御礼申し上げます。その他、本書執筆にあたりご協力いただいたすべての方々に御礼申し上げます。

2020年5月

株式会社 IPMaaCurie　後藤昌彦

【著者紹介】

後藤昌彦（ごとう・まさひこ）

株式会社 IP Maacurie 代表取締役
弁理士（特定侵害訴訟代理付記登録）、中小企業診断士

1963 年 3 月大阪生まれ。大阪大学大学院修了後、象印マホービン株式会社に入社。新商品開発業務を経て知的財産担当となり、15 年間にわたり商品開発、マーケティングと直結した知的財産権（特許、意匠、商標）の取得、活用業務に従事。年間平均 50 件以上の特許出願と権利化業務をこなし、商品化に活用された特許は 300 件を超える。また、電気製品では会社初のライセンス収益獲得に成功。知財実務とマネジメントを通じて「企業を持続的成長に導くためには、確固たる知的財産活用方針の構築と実行が不可欠である」ことを体感する。
2013 年に退職し、ベンチャー企業にて知財業務に従事した後、2015 年 3 月に独立。現在は日本で唯一の「知的財産を活用して利益に結び付ける仕組み創りのコンサルタント」として精力的に活動中。
著書に『知的財産を活用して「利益」を生み出す 50 のヒント』（セルバ出版）がある。

IP Maacurie ホームページ
http://www.ipmaacurie.com

中小企業のための知財戦略2.0

2020年 6 月21日　初版発行

著　者　後藤昌彦
発行者　野村直克
発行所　総合法令出版株式会社
〒103-0001 東京都中央区日本橋小伝馬町 15-18
ユニゾ小伝馬町ビル 9 階
電話　03-5623-5121

印刷・製本　中央精版印刷株式会社

落丁・乱丁本はお取替えいたします。

ISBN 978-4-86280-750-2

総合法令出版ホームページ　http://www.horei.com/

総合法令出版の好評既刊

経営・戦略

実践「ジョブ理論」

早嶋聡史 著

クリステンセンの最新マーケティング理論を実践するための解説書。「人はなぜモノやサービスを購入するのか」という命題に対し、「自らが抱える課題（ジョブ）を解決するため」と、顧客の“課題”をとことん掘り下げることの重要性を訴える。

定価（本体1800円+税）

新規事業ワークブック

石川　明 著

元リクルート新規事業開発マネジャー、All About創業メンバーである著者が、ゼロから新規事業を考えて社内承認を得るまでのメソッドを解説。顧客の“不”を解消してビジネスチャンスを見つけるためのワークシートを多数掲載。

定価（本体1500円+税）

中小企業のための IoTとAIの教科書

島崎浩一 著

AI や IoT の発達により、今後、製造業の姿は根本から変わることが予想される。製造業の現場を知り尽くしているプロが、中小製造業の各業務ごとに、AI や IoT をどうビジネスに活かしていくか、どのように導入すべきかのヒントを提示する。

定価（本体1500円+税）